LES BRUMES DE SAN FRANCISCO

DU MÊME AUTEUR

Panorama de la littérature russe, Kra, 1929.
Anthologie de la prose russe contemporaine, Hazan, 1929.
Tolstoï est mort, Plon, 1935.
Le Mors aux dents, Denoël, 1937 ; Actes Sud, 1985 ; Babel, 2005.
Les Etats-Désunis, Denoël, 1938 ; 10/18, 1968.
Deuil en 24 heures, Brentano's, New York, 1942 ; Grasset, 1946 ; Temps actuels, 1982.
Les Gens du pays, Editions de la Maison française, New York, 1943 ; Hier et aujourd'hui, 1946.
Qui a tué H. O. Burrell ?, Editeurs français réunis, 1952.
Souvenirs sur Gorki, Editeurs français réunis, 1957.
Le Lieu du supplice, Julliard, 1959.
Le Lever du rideau, Julliard, 1961.
Espagne premier amour, Julliard, 1965.
Mille et un jours, Julliard, 1967.
Le temps est hors des gonds, Julliard, 1969.
Vladimir Pozner se souvient, Julliard, 1972 ; Messidor, 1989.
Mal de lune, Julliard, 1974.
Descente aux enfers, Julliard, 1980.
Les Brumes de San Francisco, Actes Sud, 1985.
Le Fond des ormes, Actes Sud, 1986.
Cuisine bourgeoise, Actes Sud, 1988.
Souvenirs sur Aragon et Elsa, Société des amis d'Aragon et Elsa Triolet, posthume, 2001.

© ACTES SUD, 1985
ISBN 2-7427-6441-0

Illustration de couverture :
Détail d'un tableau de Frederic Remington, vers 1890

VLADIMIR POZNER

LES BRUMES
DE
SAN FRANCISCO

roman

BABEL

Il est bien évident que je ne fais pas un roman, puisque je néglige ce qu'un romancier ne manquerait pas d'employer. Celui qui prendrait ce que j'écris pour la vérité serait peut-être moins dans l'erreur que celui qui le prendrait pour une fable.

Diderot, *Jacques le Fataliste.*

J'ai appris à lire à six ans comme tout un chacun. Ce n'était pas facile. La famille avait quitté Paris pour Leningrad, qui s'appelait encore Pétersbourg, et j'avais apporté dans ma tête vingt-six lettres latines qui m'étaient déjà familières. La plupart avaient disparu dans la ville nouvelle. Je n'en retrouvai qu'une demi-douzaine qui rendaient un son dissemblable, le plus grand nombre avait cédé la place à des caractères mystérieux. J'avais beau, pendant la promenade quotidienne au jardin de Tauride, étudier les enseignes, elles étaient indéchiffrables. Je réussissais à reconnaître un A ou un M, mais un P français se prononçait R en russe, donc Paris Raris, et je trébuchais, comme au jardin, sur la pièce d'eau gelée où je m'efforçais de ratiner pour patiner. Cet hiver-là, j'ai appris le patinage et l'alphabet cyrillique.

La maison débordait de livres. Une pièce particulière leur était réservée. Il y avait une dizaine de volumes dans la chambre d'enfants. Quelques-uns étaient faits de dessins et de légendes. Il suffisait de suivre l'action d'image en image : j'avais du mal à lire.

Dieu merci, je pouvais compter sur tante Olga. Elle avait assez de courage ou d'affection

9

pour nous faire tous les jours des lectures. Ça pouvait être Pouchkine mais bien plus souvent des poètes français. Les vers s'imprimaient dans la mémoire. Par exemple, « L'œil était dans la tombe et regardait Caïn » ou « Waterloo ! Waterloo ! Waterloo ! morne plaine ! » Il y avait aussi les romans, entre autres *Le Général Dourakine*, de la comtesse de Ségur, qui semblait drôle, *dourak* voulant dire en russe imbécile, et des pièces de théâtre, Edmond Rostand de préférence : *L'Aiglon* et *Cyrano de Bergerac*. Bientôt Erckmann et Chatrian allaient surplomber tout le reste. Un récit à peine terminé, il fallait le recommencer : mieux on le connaissait et plus on voulait l'entendre, effrayé à l'avance d'un danger imminent, triomphant dans l'attente d'une victoire déjà certaine mais toujours surprenante.

Les jours passaient, je n'en étais plus aux lettres de l'alphabet, aux mots, mais aux pages et bientôt aux volumes. Je lisais de plus en plus vite et de plus en plus passionnément, à toute heure et en tout lieu, même ceux d'aisances, moi installé sur la lunette, mon petit frère à mes pieds, sur le pot de chambre, m'écoutant déclamer *Le Démon*, de Lermontov. Il était trop jeune pour apprendre à lire mais je n'en croyais rien, décidé que j'étais de le forcer à suivre mon exemple. Il faisait de son mieux pour obéir à l'aîné qui n'hésitait pas à lui lancer au besoin un livre pesant à la tête. Il contemplait patiemment des signes qui lui semblaient inintelligibles et les déchiffrait, art grâce auquel il allait un jour devenir un grand égyptologue.

Moi, je lisais. C'était un long voyage que j'avais entrepris, de tome en tome que je dévorais, changeant de pays et de siècle sans m'en rendre compte. Il y avait deux ou trois aventures que j'ai dû relire une dizaine de fois ; j'en ai oublié les auteurs et jusqu'aux titres, mais je revois avec précision le cavalier qui donne un coup de couteau dans les narines de son cheval exténué pour qu'il reprenne des forces, atteigne le but au galop, et tant pis s'il s'écroule.

De nouveaux écrivains surgissaient et chacun effaçait une tache blanche sur la mappemonde dont j'ignorais encore les continents. Je ne pouvais m'apercevoir que Jules Verne, Walter Scott, Fenimore Cooper n'étaient que des îles, je lisais du matin au soir, et même pendant les repas, pour apprendre le sort des enfants du capitaine Grant, d'Ivanhoe, du dernier des Mohicans. Ils faisaient tous partie de la même famille qui était en train de devenir la mienne. J'accélérais la cadence, un ou deux jours suffisaient, et c'est en atteignant les derniers chapitres que, malgré moi, je ralentissais l'allure. Le désir d'apprendre la fin avait beau être insurmontable, je savais que, d'un moment à l'autre, mes nouveaux amis allaient disparaître en me laissant seul. Mieux valait interrompre la lecture à l'heure du coucher pour dormir en leur compagnie et retarder nos adieux de la longueur d'une nuit et d'un rêve.

Ma mère venait s'assurer que j'avais éteint la lumière, mais moi, je cachais la lampe et la tête sous la couverture pour escorter Jack London à travers l'Alaska, à la recherche de l'or. La visiteuse soulevait l'oreiller, me dégageait de ma tanière et disait : « Encore un quart d'heure. »

Depuis un an, je fréquentais l'école. Véra Pavlovna, la merveilleuse jeune fille blonde qui enseignait le russe, nous poussait à lire comme elle-même aimait le faire. Un matin, elle nous a lu une ballade fameuse de Pouchkine : chacun devait en rédiger un résumé. Elle devait en choisir deux pour donner lecture à la classe. La version d'un camarade était exubérante et pathétique, la mienne brève, sèche et précise. C'était ma première leçon et l'expression de mon goût.

Je connaissais depuis longtemps la bibliothèque domestique, située au bout du couloir qui commençait devant la chambre d'enfants. J'étais grand : douze ans, je pouvais me promener seul devant les armoires vitrées, pleines de livres, comme dans une forêt, une forêt si vaste que, jusqu'à mes seize ans et notre retour à Paris, je n'ai jamais emprunté un volume ni fréquenté une bibliothèque.

Toutes les grandes littératures y vivaient, depuis Athènes et Rome jusqu'à Madrid et Londres. Je n'avais qu'à parcourir les titres, les noms et, le plus souvent, la mention « œuvres complètes », tendre la main et tirer au petit bonheur la chance. Le hasard m'a été favorable : il a posé mes doigts sur Dickens. J'ai fait la connaissance d'Oliver Twist, me suis lié d'amitié avec David Copperfield, suis tombé amoureux de son Agnès sans avoir l'impression de trahir Tatiana, l'héroïne d'*Eugène Onéguine*, qui me fascinait depuis des années. J'ai dévoré tous les romans de Dickens pour en relire quelques-uns à plusieurs reprises, et lorsque j'ai tout appris je me suis senti solitaire et mélancolique. J'ai erré sans me douter qu'il suffisait de se remettre à tâtonner pour se trouver soudain face à face avec un inconnu qui s'appelait Raskolnikov et pénétrer à sa suite dans la forêt Dostoïevski.

Cette forêt sauvage s'épanouissait dans la ville même que j'habitais. Dans les rues de Petrograd, à commencer par la mienne, les événements commençaient à devenir historiques, et c'était la vie. Les livres en étaient une également, aussi importante, aussi réelle que la première, et les deux s'entrecroisaient, s'entrechoquaient, s'éclairaient. Mon père travaillait avec Gorki qui venait chez nous et que nous allions voir, j'ai lu *Enfance* et *Les Trois* : un chapitre était la suite d'un dîner en commun chez nous, une visite chez lui illuminait un autre chapitre. *La Perspective Nevski* était une nouvelle de Gogol, et les marins armés qui la remontaient devant moi, les ouvriers, venus des quartiers misérables qu'avaient habités Raskolnikov, ses amis et relations, étaient les futurs personnages de la Révolution d'Octobre, imminente. A la maison, plongé dans un livre, les oreilles bouchées, j'entendais les coups de feu, les cris et les chants dans la rue; une fois dehors, rien qu'à regarder la foule, je continuais à lire.

Le vent du large était trop fort, seule la poésie lui tenait tête et cœur. Mon meilleur camarade de classe écrivait des vers comme moi, nous déclamions à tue-tête des poèmes de Blok et de Maïakovski. Lui ignorait le français, seul je récitais Hugo et Baudelaire, et leurs rimes claquaient comme les voiles d'un quatre-mâts.

On avait faim et froid. Je poursuivais mes périples à bord des livres. Les voyages se faisaient de plus en plus longs : autant sinon plus encore que la guerre, la révolution vous modèle et mûrit, et j'avais déjà quinze ans. Les parents me disaient quelquefois : « Ce roman, tu le comprendras mieux (ou l'aimeras davantage) plus tard », et c'était le meilleur argument pour que j'ouvre aussitôt le volume. Ils avaient raison, moi aussi : tout récit qui vaut la peine d'être lu change de sens et de poids au cours des années, les siennes et les vôtres.

J'étais de retour à Paris et, après de longues oscillations du fléau entre les plateaux de la balance de mes deux langues, le français a repris sa place dans ma vie, dans mes rêves, dans mes calculs, dans mes lectures. Je continuais à relire Tolstoï et Tchékhov, mais de nouvelles forêts s'ouvraient devant moi : Stendhal plus encore que Balzac et Flaubert. Puis le siècle s'est chargé de s'écouler d'une manière passablement hétéroclite, languissant quelquefois, plus souvent âcre et âpre, et si j'ai dû apprendre peu ou prou quelques nouvelles langues étrangères et trouvé l'occasion de lire Goethe en allemand, Shakespeare en anglais et voulais expliquer comment cela m'est arrivé, je devrais rendre compte de pas mal d'histoires personnelles mais plus encore des événements de l'Histoire du siècle.

A en croire ma mémoire, j'écrivais depuis toujours, chavirant de français en russe, puis de russe en français. A présent j'envisage de mettre par écrit un récit d'une certaine longueur en deçà de laquelle il s'agirait d'une nouvelle. Bref, j'ai l'intention de tenter d'écrire un roman, un genre dont je ne connais aucun indice si ce n'est le nombre de pages.

Je m'excuse à l'avance et risque le coup.

Le mois de décembre touchait à sa fin, la traversée était terminée. Appuyé au bastingage, je suivais du regard des milliers de lumières rectangulaires, toutes pareilles, qui tremblotaient en escaladant des collines invisibles, sans me rendre compte que c'étaient des fenêtres de gratte-ciel, bâtisses dont le nom m'était familier mais que je n'avais encore jamais aperçues : je débarquais à New York pour la première fois. Venue de l'océan, la bise soufflait le long du fleuve, d'un bout à l'autre des avenues rectilignes qu'enfilaient des sirènes d'alarme. Les coudes serrés, le col du manteau levé, de rares passants rasaient les murs. Aux coins des rues, Noirs et Blancs courbatus et transis tendaient la main nue dans laquelle ils serraient une pomme, la seule qu'ils possédaient, faisant semblant de la vendre : en dépit de la plus grande crise du siècle ou à cause d'elle, la mendicité était interdite, le commerce encouragé.

Le taxi s'arrêta. J'entrai dans le hall de l'hôtel, et changeai de saison. Enfoncés dans des fauteuils douillets, un journal à la main, des hommes se laissaient bronzer aux soleils électriques, étudiant les nouvelles boursières du jour. Des grooms pointillés de boutons dorés et coiffés d'une toque glissaient en tous sens, porteurs de valises, de plateaux avec verres et bouteilles, de messages qu'ils lançaient d'une voix aiguë. Les portes à tambour ne s'interrompaient pas de tourner, vomissant des voyageurs en partance pour ingurgiter de nouveaux clients dont la plupart se précipitaient vers une salle voisine.

Elle débordait de monde. Groupes, grappes, grappillons s'enchevêtraient, des nœuds papillon noirs voltigeaient autour des robes de soie roses, bleu ciel ou vert d'eau, des nuées de doigts palpitaient à hauteur des bouches bavardes et riantes. J'avais beau écouter : pas le moindre susurrement, pas même un soupçon de chuchotis, rien ne rompait le silence. Deux jeunes filles chatouillaient l'air entre elles, des vieilles filles échangeaient des confidences inarticulées, un chauve prématuré tenait un discours imperceptible à trois auditeurs approbatifs, un homme d'un certain âge faisait une cour visuelle sinon audible à une dame d'un âge certain, un petit brun souriait à une grande blonde qui hochait la tête, des bancs de jeunes gens glissaient entre les bandes silencieuses; je me mettais en quatre pour les imiter en m'approchant des couples qui se chamaillaient ou riaient aux larmes, je n'entendais rien.

Un groom se faufilait dans la foule. Je l'interrogeai. Sans rien dire, il indiqua de l'index, à l'entrée de la salle, un écriteau : j'assistais à la réunion de l'amicale des sourds-muets. C'étaient mes premiers Américains, tous émigrés ou descendants d'émigrés, venus d'Europe, tous des Blancs.

Quant aux autres, à ceux qui avaient habité un continent encore anonyme, j'avais fréquenté les Peaux-Rouges dans mon enfance, sous la tente de Fenimore Cooper et de tous ses livres, appris à me planter des plumes dans les cheveux et à tirer à l'arc dans l'île d'Yeu ou du côté de Saint-Jean-de-Luz. Notre première rencontre ne devait pas avoir lieu en Amérique.

De retour à Paris, un matin, je remontais le boulevard Raspail. Les trottoirs étaient déserts mais dans l'allée du milieu la foule grouillait : c'était jour de marché. Des clientes échangeaient avec leurs fournisseurs habituels des sourires et des confidences sur le temps qu'il avait fait, qu'il faisait et qu'il allait faire. Arrêtées devant les étalages, des pratiques se renseignaient sur la santé des enfants, tout en examinant les yeux et les ouïes des poissons pour se rendre compte de leur degré de fraîcheur. D'autres ménagères tendaient le cou par-dessus les pyramides de fruits et de légumes, cherchant à s'assurer que les marchandises dissimulées du côté des vendeurs valaient celles, grosses et juteuses, qui faisaient face aux acheteurs ; il n'en était rien, commerçants et clients se renvoyaient des paroles acerbes. Des appels stridents s'échappaient du bourdonnement inintelligible de la foule ; une vieille femme criait à percer les oreilles : « Allons, dix sous la botte de cresson, tant pis, la santé du corps d'abord, mesdames, dix ronds la botte » ; un moustachu mettait les chalands en demeure :

« Allons-y allons-y ! servez-vous dans la banane ! » ;
un gros, travesti en paysan du siècle dernier,
accompagné d'un petit âne, aspirait, expirait
avant de débiter une phrase, toujours la même :
« Ça sent bon, la lavande, pour les armoires, les
lainages, ça sent bon, la lavande, pendant toute
l'année » ; un maigrichon, penché au-dessus de sa
charcuterie, raisonnait : « Tout est bon, tout est
bon, il n'y a que les marchands qui soient vilains,
mais comme on ne les mange pas, ça n'a pas
d'importance » ; une jeune fille aux joues rouges
s'égosillait : « Les oranges sont jolies, les man-
darines sont belles, qui qu'en veut, qui qu'en
veut, qui qu'en veut ! »

Des enfants, accrochés à leur mère, la tiraient
par la jupe vers des sucreries, une fillette à nattes
caressait l'âne porteur de lavande, une femme
aux pommettes saillantes la surveillait ; vêtue
de sombre, elle devait être domestique. J'allais
la revoir un peu plus loin ; elle marchait seule,
je m'étais trompé, elle n'accompagnait personne,
la petite à cheveux tressés avait disparu. La femme
m'a dépassé, elle glissait en épousant les méandres
de la cohue sans jamais effleurer personne. Je l'ai
perdue de vue pour la retrouver plongée dans
la contemplation d'un assortiment de fromages
de toutes les provinces. Elle ne m'a pas aperçu ;
je me suis rendu compte qu'elle avait des cheveux d'un noir d'ébène.

Je quittai le marché au coin de la rue de
Rennes pour franchir l'entrée du Crédit municipal. Cette banque m'était familière : des murs
écaillés, des fenêtres grillagées, des meubles
vermoulus, des employés mutilés grâce à la
Première mondiale. Chaque nouvel arrivant
commençait par jeter un rapide regard : pourvu
qu'il n'y ait pas de connaissances. Il avait
pris soin de traverser Paris ; dans son quartier,

des voisins auraient pu le reconnaître. Il recevait un numéro et s'installait à l'écart, certains gardaient le chapeau enfoncé ou le col du pardessus relevé comme s'ils tenaient à dissimuler le degré exact de leur misère, n'acquiesçant que d'un murmure ou d'un hochement de tête lorsque l'appréciateur lançait sans nommer personne :

— Le cent soixante-dix, quatre francs cinquante. Le cent soixante-douze, treize francs.

Derrière la cloison, les gages étaient examinés par des experts en indigence qui évaluaient les ravages de la rouille, des mites, de la moisissure, du temps.

Un homme avança, enleva veston et gilet, remit celui-là, engagea celui-ci, s'en alla.

Un autre tendit un étui à cigarettes, interrogea :

— Combien ?

— Quatre-vingts francs.

Sans mot dire, il enleva l'alliance et la posa sur l'étui.

Une famille entra : le mari, la femme et deux enfants, sommairement vêtus. Ils apportaient une couverture, des oreillers, une chaîne de montre en métal blanc, deux assiettes.

Un garçon qui venait de toucher dix-huit francs pour une brassée de hardes, s'exclama, blagueur, en quête d'un sourire :

— On va pouvoir manger.

Personne ne rit.

— Le cent quatre-vingts, sept cent cinquante ! tonna l'appréciateur.

Le chiffre s'écrasa dans le silence. Les têtes se tournèrent vers le possesseur de sept cent cinquante francs, des regards envieux.

Lorsqu'un homme pauvrement vêtu venait engager un objet de valeur, les employés, soupçonneux, le questionnaient longuement. Pour les petits prêts, il suffisait de produire une lettre récente à votre nom; à partir d'une certaine somme, des pièces d'identité étaient nécessaires. L'homme sans domicile n'avait aucun recours.

Un employé borgne et jovial demanda ses papiers à une femme âgée, en deuil. Elle lui tendit une enveloppe.

— Attention à la lettre, dit-il.

— Oh ! il n'y a pas de billets de banque là-dedans, murmura-t-elle avec un pâle sourire.

— Pas de lettres d'amour ?

Et elle, s'interrompant de plaisanter :

— S'il y en avait une, elle serait bien vieille.

Un bruit de ferrailles, des crissements, des râles — derrière la cloison, l'appréciateur venait de remonter un phonographe apporté en gage — et, nasillard, l'air du toréador de *Carmen* éclata dans le silence du mont-de-piété.

Je sortis, enrichi de cinquante francs, une somme appréciable à la fin du mois, et fis quelques pas lorsque j'entendis une femme qui chuchotait :

— *Excuse me.*

Je me retournai. C'était la personne aux pommettes saillantes que j'avais aperçue au marché et qui avait dû me suivre à la piste et m'attendre devant le Crédit municipal. Trente-cinq ans environ et des yeux étroits posés sur moi.

— *You're an Indian*, dit-elle.

Elle parlait américain, sur un ton plus affirmatif qu'interrogateur.

Je répondis qu'elle se trompait : je n'étais pas indien, il n'y en avait guère en France. Elle précisa :

— *You are a Cherokee Indian.*

Je savais peu de chose de ce peuple qui s'était établi en Amérique avant sa découverte; à ce moment même, nous nous trouvions à Paris, à deux pas de la rue Notre-Dame-des-Champs où je suis né. Je n'étais pas un Cherokee, et c'est ce que je dis.

Posé sur moi, son regard demeurait fixe et n'exprimait rien. Pas le moindre sourire ne l'effleura aux commissures des lèvres, et pourtant elle dut se dire que je m'étais trahi en avouant que je comprenais l'anglais et en me servant de cette langue pour nier l'évidence. Elle baissa la voix et attira mon attention sur le fait que nous étions seuls. Aucun étranger ne nous écoutait, je ne devais donc pas farder la vérité : j'étais cherokee, cela se voyait, elle en était certaine.

J'éprouvai l'envie de l'admettre, tenté que j'étais par l'idée de me glisser dans le monde obscur d'une espèce ignorée de moi et d'y réussir non par des affirmations mensongères mais rien qu'en hochant la tête de haut en bas. J'imaginais mon interlocutrice satisfaite, évoquant des souvenirs de paysages qu'elle me supposait familiers, des coutumes qu'elle nous croyait communes, et cela dans une langue que je ne comprendrais pas. Je hochai la tête de droite à gauche.

Son visage toujours impassible, la femme se borna à hausser les épaules d'un mouvement à peine apparent. Je parlai à mon tour. A l'appui de son affirmation, j'exigeais des preuves, mais elle jugeait inutile de prouver ce qu'elle considérait manifeste ; j'avais beau répéter qu'elle faisait fausse route pour des raisons qui me semblaient ambiguës, au lieu de me réfuter et offrir des attestations, elle se bornait à me contempler en silence, et moi, j'oscillais entre l'irritation et la curiosité, posant des questions, réclamant des réponses : j'étais devenu bavard, mais elle s'obstinait à se taire dans la certitude de mon acquiescement imminent, elle patientait. Je finis par garder la bouche close à mon tour.

Elle espéra, en vain. Subitement elle me jeta :

— Vous avez honte de l'avouer.

Je n'en voyais pas de raison admissible.

— Il n'y en a aucune, annonça-t-elle, convaincue d'avoir gain de cause et, ses regards braqués sur les miens, d'une voix dure : Je suis cherokee moi-même.

J'aurais dû m'en douter, mais comment deviner qu'au coin du boulevard Raspail et de la rue de Rennes, j'avais affaire à une squaw ? Je m'efforçai de garder mon calme et j'examinai son visage.

Elle avait un teint bis, des cheveux mats, de lourdes paupières descendant sur des yeux immobiles. Elle ne bougea pas, comme si elle attendait que je la reconnaisse et le lui avoue, sans se rendre compte qu'elle était la première Cherokee que je voyais. Nous restions tous deux à nous dévisager. Sans rien dire, soudain, elle me tourna le dos et s'en alla, posant les pieds l'un devant l'autre sans laisser entendre le moindre bruissement, comme si elle marchait dans l'herbe printanière.

Je ne devais jamais la revoir. Et pourtant, peu de temps après avoir, en plein Paris, rencontré une Cherokee qui avait disparu comme si nous nous trouvions dans les Appalaches, je retournai en Amérique. Bien entendu, il ne s'agissait pas de dénicher la questionneuse du boulevard Raspail ni de dépister sa tribu, d'autant plus que ce n'aurait pas été facile : au nord de New York, quelques rares Mohicans existaient pauvrement, plus au nord, dans le Vermont, où avait vécu la grande peuplade mohawk, les Indiens étaient seize, au sud, les Delawares avaient disparu, laissant leur nom à l'un des Etats-Unis où il ne restait que quatorze Indiens en tout et pour tout.

Je n'essayais pas d'en retrouver à New York. Je suivais des yeux, par-dessus les gratte-ciel, le soleil en train de descendre à l'ouest. Il me semblait discerner le pays des Peaux-Rouges.

Je n'en savais pas plus que Jean Nicolet. Deux siècles et demi plus tôt, le gouvernement du Canada, colonie française, l'avait envoyé à la poursuite du soleil couchant. Comme tant d'autres, Nicolet espérait aboutir en Chine ou aux Indes : il emportait dans ses bagages une robe de damas chinoise pour pouvoir, en gagnant une cour orientale, s'habiller d'une façon bienséante.

Ce fut une déception : l'Orient demeurait introuvable.

Et pourtant les trappeurs accouraient d'Angleterre, de Hollande, de Russie, mais les plus nombreux étaient des Français. Leur langue était la langue officielle : ceux qui avaient acquis le droit de chasse s'appelaient *voyageurs*, ceux qui possédaient une licence de commerce portaient le nom de *bourgeois*; quant aux braconniers, c'étaient les *coureurs de bois*. Amis des gens du pays, parfois mariés à une Huronne ou à une Potawatomi, ils étaient vêtus à leur propre façon, Européens à un quart, aux trois quarts Peaux-Rouges, et les chansons qu'ils chantaient, ils les avaient apprises, enfants, dans leur village de Saintonge ou du Nivernais s'ils ne les avaient pas inventées, adolescents, sur les bords du Mississippi ou de la rivière des Moines. Les nouvelles mélodies, les nouvelles paroles, c'étaient de toute évidence *Mon canot d'écorce*, *Le Voyage*, *La Sauvagesse*; les anciennes allaient depuis *En roulant ma boule* jusques *A la claire fontaine*; tout se mélangeait et, à la claire fontaine, c'était la sauvagesse qu'on rencontrait.

Les cheveux tressés tombant sur les épaules,

armé d'un fusil à pierre, chaussé de mocassins, le coureur de bois découvrait l'Amérique. Moi, j'avais d'autres difficultés. Je n'avais pas l'argent du voyage.

J'étais tenté de suivre l'exemple des chemineaux. J'en avais rencontré un, lors de mon premier voyage, qui m'avait expliqué qu'il était facile de traverser le continent dans les trains de marchandises, caché dans un wagon et, au delà de Chicago, installé sur le toit. Je n'avais qu'à retourner à Bowery, dans le bas de New York, où l'on rencontrait plus encore de clochards que de chômeurs, où des pouilleux dévoraient du regard des beautés moisies, détachant pour faire choir en musique leur linge de corps et mettre à nu une peau usée avec des rides pleines de poudre humide ; où, dans des hôtels dont l'entrée demeurait ouverte sur un escalier perpendiculaire au trottoir, les chambres étaient traversées en longueur par des cordes auxquelles, moyennant une somme modeste, les clients étaient autorisés à s'appuyer pour sommeiller debout jusqu'au petit jour lorsque le gardien venait et larguait les amarres, les novices s'écroulaient, les expérimentés réussissaient à s'éveiller en maintenant l'équilibre. La plupart avaient l'habitude et le goût des longs voyages gratuits. Je n'avais qu'à me faire des relations, m'établir au milieu d'un amoncellement de cahutes faites de tôles, de toiles imperméables, de bidons à essence, bref, dans un bidonville que les traîne-misère avaient baptisé hooverville en hommage à Hoover, président des Etats-Unis au moment de la grande crise, et que les sans-logis édifiaient à proximité des décharges publiques dont certaines ordures étaient comestibles.

Le projet était alléchant mais aléatoire, d'autant plus que je ne savais pas où me diriger,

moi qui avais tant d'envies diverses et diver-
gentes, le besoin d'une nouvelle découverte, ne
fût-ce que fragmentaire, de l'Amérique, la curiosité de tirer au clair ma supposée origine cherokee,
plus encore l'espoir d'atteindre le point de jonc-
tion de l'effort et du hasard dont naîtrait un
nouveau livre. Je rôdais dans le bas de la ville,
le long des quais où, assis par terre, les jambes
flottant au-dessus de l'eau fangeuse, le dos tourné
aux banques et à la Bourse de Wall Street, les
chômeurs méditaient en silence. Je longeais un
ramassis de misérables qui, armés d'un récipient
ébréché ou d'une boîte de conserve vide, faisaient
la queue devant une bâtisse où l'on distribuait
une soupe gratuite; je quittais les bas-fonds pour
suivre la 5e Avenue et montais les marches de
la Public Library qui avait, sur notre Bibliothèque
nationale, l'avantage de ne pas nous faire attendre
deux heures pour obtenir un livre et revivre
l'arrivée des premiers Blancs, habillés d'une
matière que les flèches ne pouvaient traverser,
armés d'éclairs et de coups de tonnerre, et qui
fonçaient, montés sur des animaux légendaires
aux crinières et aux queues volantes, suivis par
leurs alliées, Madame Variole et Mademoi-
selle Vérole. Le mardi 25 mai 1540, les cavaliers
de Hernando de Soto avaient pénétré dans le
pays des Cherokees et passé la nuit dans une
petite forêt de la future Caroline du Nord. Ils
étaient accompagnés de fantassins et de plusieurs
centaines d'esclaves indiens, enchaînés, un collier
de fer sur le cou, surchargés de pioches et de
bêches, de maïs et de manioc. J'avais encore
beaucoup de livres à lire, sauf que j'aurais pu
le faire à Paris, alors qu'à New York je n'avais
qu'à grimper à bord d'un wagon de marchandises, descendre au sud des Appalaches et sauter
du train en Caroline, près d'une petite forêt,

24

si elle existe toujours, du côté où vit une tribu avec laquelle, à en croire la passante du boulevard Raspail, je suis censé avoir certains traits de ressemblance.

Pendant que j'interrogeais et hésitais, je rencontrai un garçon de San Francisco, Nathan, qui venait d'acquérir une voiture et était sur le point de traverser l'Amérique. Il cherchait un compagnon qui le relayerait au volant.

Je me demande encore si j'ai eu raison d'accepter son offre en me persuadant que le voyage automobile sinon la découverte du continent serait plus rapide, plus confortable : il fallait compter environ cinq mille kilomètres pour atteindre San Francisco et découvrir l'homme — mettons qu'il s'appelle Antoine — dont je ne savais rien encore sauf qu'il était français et parisien. J'ai tenté d'abord de l'imaginer. C'était trop tôt — je me suis figuré une taille moyenne, des cheveux châtains. Autant ne rien dire. Des yeux bleus ? des yeux noirs ? des yeux verts ? Aucune idée. Bref, je ne le voyais pas, me bornant à lui éviter toute ressemblance avec moi-même, à lui attribuer certains détails vraisemblables : il ne s'agissait pas de le décrire mais de l'élaborer. Pour l'instant, je n'en étais même pas à une ébauche.

J'avais lu qu'à San Francisco, il y avait sept collines comme à Rome, ville qui m'était familière. Je me suis dit qu'Antoine — Antoine ? Pourquoi pas Antoine ? — était en train de contempler les collines à l'horizon. Il les comptait et recomptait, tantôt croyant en apercevoir davantage et tantôt n'arrivant pas à les déceler toutes et pensant qu'elles se cachaient les unes derrière les autres, d'autant plus qu'elles donnaient l'impression de se déplacer dans des sens différents, de droite à gauche et de haut en bas. Ce va-et-vient m'agaçait. Il n'y était pour rien. Je lui faisais cadeau d'un diminutif et prêtais l'oreille. Toine ? Non, Antoine : j'étais déjà en train d'en prendre l'habitude. C'était un début, du moins, je l'espérais. Je poussais Antoine — oui, Antoine — à quitter le bastingage du ferry-boat et se frayer un passage à travers la foule.

J'ai revu, abandonnée dans le désordre des ateliers de Picasso, rue des Grands-Augustins, une palette géante, débordant d'un emmêlement de couleurs dont aucune n'était pure, et je me suis demandé si elle témoignait d'une recherche, d'un échec ou de la naissance d'un tableau depuis longtemps terminé.

Je suivis Antoine du regard. Il me tournait le dos, ce qui m'évitait de voir son visage, encore approximatif. C'était préférable : rien n'est plus provisoire et problématique que les apparences d'un personnage à son commencement.

Il se dirigea vers la poupe, contournant les jeunes couples, les mères et les pères tenant des bébés dans les bras, des groupes de voyageurs qui discutaient avec acharnement des cours de la Bourse, des marques et sous-marques de whisky ou des tondeuses à gazon. Ce monde de figurants et de silhouettes, je ne comptais pas le revoir, pour chacun un détail unique suffirait. Par contre, en ce qui concerne San Francisco, je ne l'avais encore jamais vu mais je savais tout sur son compte. Au-dessus de l'eau indigo de la baie, de petits nuages blancs flottaient dans un grand ciel bleu. Plus bas, un peuple de mouettes suivaient le bateau, saisissant au vol des croûtes que jetaient les passagers. Il y en avait cinq ou six qui, attirées par les raies bleues et blanches et les étoiles rouges, tournaient autour du drapeau claquant au vent et se posaient sur la hampe. Je me demandai si, contrairement aux autres, elles étaient repues ou si elles préféraient se forger des chimères, et j'encourageai Antoine à suivre des yeux une d'elles qui se détacha du drapeau pour s'éloigner avec de lents battements d'ailes, passer sous le pont suspendu du Golden Gate et se fondre dans la brume bleutée du Pacifique.

Derrière Antoine, je plaçai une voix d'homme disant :

— Il a sauté du pont au milieu, presque au milieu. Je me tenais ici et, vu de si loin, il semblait grand comme une poupée de chiffon qui tombait lentement, pas du tout comme s'il allait plonger : il culbutait et tournait par à-coups. Je me demande à quoi il songeait.

Une voix féminine s'informa :

— On pouvait voir que c'était un garçon ?

L'homme posa une question à son tour :

— Peut-être une fille ?

— Mais tu parles d'un garçon.

— Je ne l'ai jamais su au juste.

— Tu ne t'es pas renseigné ? Il n'a pas été retrouvé ?

Il hésita un certain temps et finit par dire :

— Ou elle.

Le couple se tenait si près d'Antoine que cela le gênait de se retourner comme je lui suggérai d'avoir envie de faire. Il y eut un silence. Puis la femme — qui devait être une jeune femme — demanda :

— On ne les retrouve jamais ?

— Si, si.

Il avait l'air de se justifier en précisant :

— On repêche les trois quarts.

— Vivants ?

— Le contraire, dit-il, comme s'il lui était déplaisant ou pénible de prononcer un mot plus précis.

Elle dut réfléchir un instant avant de poser une nouvelle question :

— Ils sont nombreux ?

— Non, s'empressa-t-il de répondre. Huit par an.

— Tous les ans ?

— Oui. Il précisa : En moyenne.

Elle se hâta de s'enquérir :

— Combien déjà cette année ?

J'examinai Antoine : il s'était rendu compte que l'homme qui le frôlait avait haussé les épaules sans rien dire.

— Huit, c'est beaucoup, observa la femme, et elle s'interrompit avant de glisser : Et le quatrième quart, on les sauve ?

Il émit un petit bruit de gorge.

— On s'écrase dans l'eau à la vitesse de quatre-vingts miles à l'heure. Tu te rends compte ?

Sa compagne aspira brusquement.

— On meurt, dit-elle.

L'homme finit la phrase :

— Avant de se noyer.

— Toujours ?

— Presque toujours.

Elle baissa les yeux comme si elle craignait d'être entendue par des tiers, pour interroger :

— Et sur les huit par an, combien de filles ?

Il hésita avant de répondre :

— Je ne suis pas certain. En tout cas, plus de garçons que de filles.

— A coup sûr ?

Le silence s'installa une fois de plus et se prolongea.

Le couple se tenait sur la pointe des pieds pour mieux distinguer, sautant du pont du Golden Gate, les suicidaires et reconnaître chacun, garçon ou fille, Roméo ou Juliette. Ils ne bougeaient pas, toujours côte à côte.

Lui et elle ne me convenaient pas. Antoine devait faire connaissance d'une jeune fille solitaire, en quelque sorte surgissant des brumes du Pacifique pour se poser sur terre. Il ne devait donc pas se battre pour la conquérir. Je ne savais même pas encore quel nom j'allais lui donner, à tel point que je poussai Antoine à penser que ses voisins s'étaient éloignés, et il se retourna pour les voir.

J'ai fait le nécessaire : il n'en crut pas ses yeux tellement leur apparence différait de leur voix. Ils étaient jeunes comme il avait cru mais rien dans leurs traits, leurs mouvements, ne correspondait à leurs paroles. Lui, rasé de près, le nœud de cravate bien serré, elle, les cheveux ondulés et sans doute posant le bout des doigts à plat sur le clavier de la machine à écrire, au bureau, pour ne pas abîmer ses longs ongles cramoisis. Aucun pli aux commissures des lèvres, aucune brillance dans les prunelles, comment avaient-ils su se transformer en personnages d'une tragédie romantique ? demandai-je à Antoine qui ne les quittait pas des yeux sauf pour guigner le pont suspendu des huit suicides annuels.

— Une belle vue, observa le jeune homme.

Elle l'était mais elle avait changé. Antoine eut l'impression que les petits nuages que j'avais observés tout à l'heure du côté de l'océan Pacifique étaient descendus et glissaient sous le pont vers la baie. Trois mouettes s'en approchèrent pour disparaître aussitôt, suivies d'un voilier de plaisance dont seul le mât d'artimon débordait. Surpris, Antoine se tourna vers le garçon, sans doute pour l'interroger, mais le couple s'était évanoui : il ne servait à rien. Antoine fit quelques pas dans l'espoir de le retrouver.

Je suis intervenu aussitôt, et une voix nouvelle s'est fait entendre :

— En hiver, on rencontre ici huit variétés de mouettes.

Un homme d'un certain âge adressait la parole à une dame de petite taille, aux cheveux teints d'un blanc portant sur le bleu et coiffée d'un bonnet de paille en forme de bouquet de violettes.

— Huit variétés en hiver, répéta-t-elle. Et le reste de l'année ?

— Une seule.

Il leva la main droite et suivit de l'index deux mouettes blanches aux ailes et au dos gris qui s'approchaient du bateau.

— Elles ne vous quittent jamais, dit-il. De vraies San Franciscaines. Les autres espèces s'envolent dans le Nord ou à l'Est, dans la Sierra Nevada et jusqu'au Grand Lac Salé.

— Je n'y suis jamais allée, dit la dame, suivant des yeux les oiseaux, et, avec envie : C'est pratique d'avoir des ailes.

Elle fit quelques pas vers le bastingage pour mieux voir les mouettes.

— Toutes pareilles, dit-elle. Et celles qui s'en vont en été, de quelle couleur sont-elles ?

— Il y en a qui ont le bec rouge, dit l'homme.

Il hésita, haussa les épaules.

— Peut-être celles qui, il y a un siècle, ont sauvé la récolte des Mormons, près du Grand Lac Salé, en dévorant une nuée de sauterelles.

Elle approuva d'un hochement de tête, mentionna l'Ancien Testament et l'Egypte, dit quelque chose qu'Antoine ne put entendre : la voix de la femme fut couverte par l'explosion d'une sirène. Les flocons de nuages, passés sous le pont, étaient devenus plus nombreux et se répandaient sur la baie. Je me suis entêté : une deuxième sirène, plus basse que l'autre, éclata. Antoine passa de babord à tribord. Trois hommes jouaient, l'un d'eux debout agitait ses cartes pour indiquer divers points de la baie et remontait ou baissait ses lunettes selon qu'il regardait son jeu ou le paysage.

— Un bateau qui arrive, était-il en train d'expliquer, au moment où la mer est haute au Golden Gate, atteindra le fond de la baie avec le flux. Mais le reflux aura déjà commencé à l'autre bout et, par rapport à lui, le bateau se trouvera élevé de sept pieds. Figurez-vous donc les courants et les contre-courants.

Il s'interrompit pour permettre à ses compagnons d'imaginer le tumulte des eaux.

— Les courants de la baie, reprit-il, passent sous le milieu du pont vers le Pacifique, et ceux de l'océan coulent déjà en sens inverse le long des deux rives. Regardez.

Un autre joueur s'était soulevé et, ses cartes pressées contre la poitrine, s'efforça de distinguer sous le pont la mêlée des courants.

— La violence est telle, dit l'explicateur, que le bateau est parfois forcé de décrire un demi-tour sur lui-même.

Je discernais la baie mieux qu'Antoine : il regardait de toute part comme les autres. L'eau s'effaçait dans un emmêlement de vapeurs grises et blanches. De nouvelles sirènes mugissaient, évitant d'éclater ou de se taire en même temps, et les trous de silence se peuplaient de cris de mouettes.

— Et les phares ? dit une voix d'homme si proche qu'Antoine eut l'impression que quelqu'un s'adressait à lui. Il allait se retourner lorsqu'un autre répondit :

— Les gardiens sont en train de monter leurs escaliers. Les phares vont bientôt s'allumer.

Déporté à gauche, Antoine vit les deux

hommes : l'un devait être un docker dont la casquette était ornée d'insignes syndicaux, et l'autre un chemineau qui s'informa :

— Et ils vivent seuls dans leur tour ?

— Je connais le gardien du phare de Mile Rock, dit le premier. Ça fait douze ans qu'il y vit tout seul.

Le chemineau dit :

— Merde.

Le visage de son compagnon s'éclaira.

— Il y a le gars du phare d'Eddyctone, dit-il. Il reçoit les visites d'une sirène. Devine ce qu'ils font.

Sceptique, le chemineau dit :

— Ils baisent ?

L'autre hocha la tête gravement. Son copain dit quelque chose mais on ne pouvait pas l'entendre : une corne de brume venait de mugir et les deux hommes, assourdis, échangèrent des gestes explicatifs, le pouce de la main gauche descendant et montant dans le poing serré de la droite.

Je les comparai à Antoine. Il était toujours élémentaire, inachevé. Les personnages secondaires qui surgissaient autour de lui étaient-ils plus complets, plus vivants ? Peut-être. Les quelques détails que je leur attribuais semblaient satisfaire : je n'avais pas à me préoccuper de leur avenir dont je n'avais pas besoin, sauf s'ils devaient réapparaître ; moins raconterais-je d'avance à leur sujet et plus de choses pourrais-je leur attribuer par la suite. Il suffisait que ce dont ils parlent je le sache : le nombre de suicides, les espèces de mouettes, le flux et le reflux dans la baie de San Francisco, bref, des statistiques.

Justement, à diverses altitudes, de petits nuages effaçaient de petits morceaux de la ville ; certaines maisons au ras de l'embarcadère avaient disparu ; à flanc de collines, les fenêtres des autres brillaient au soleil couchant. A une certaine distance devant lui, Antoine aperçut l'arrondi de deux épaules tombantes.

Tel que je voulais l'esquisser, c'est pour la première fois qu'il la rencontrait, cette femme dont la mémoire m'était habituelle depuis des années. Je devais donc décrire chaque détail avec véracité et précision, n'ayant le droit de rien imaginer, forcé que j'étais de laisser guider par son inconnue un Antoine qui était encore malléable et que je me trouvais dans l'obligation d'inventer en avançant à tâtons.

Elle était coiffée d'une sorte de turban bleu-gris et portait un léger manteau marron dont n'était pas clair s'il était enfilé ou posé sur les épaules. Le cou devait être long; de sa place, Antoine ne pouvait distinguer que quelques frisettes d'un châtain léger et une assez grande boucle d'oreille ronde. Il essaya d'avancer pour mieux la voir mais c'était impossible; se mettant sur la pointe des pieds, il aperçut un col blanc, le col d'un corsage sans doute. C'était peu de chose, et pourtant la silhouette lui parut familière sans qu'il sache comment il pouvait la reconnaître, les repères étant si approximatifs, à l'exception peut-être de la boucle d'oreille dont il chercha mais ne retrouva aucun souvenir. On le poussait par derrière, pourtant le déplacement était général, et un homme épais de haute taille se trouva placé entre lui et la femme qu'il perdit de vue. C'est moi qui me mis à la place d'Antoine et me posai les questions que je lui suggérais de se poser. Il fit un grand effort, reculant à peine et s'inclinant, pour découvrir l'inconnue : il n'apercevait plus qu'une épaule et une partie de la nuque qui avaient l'air ressemblantes sans qu'il sache s'il les connaissait depuis des années ou si elles venaient à l'instant de s'imprimer dans sa mémoire. Il osa lever la tête, rencontra un nuage translucide qui flottait au-dessus du ferry-boat, essaya de compter jusqu'à dix, s'interrompit à sept, affolé, convaincu que la femme avait disparu, et la retrouva, toujours pareille, au même endroit. Il se dit que cela ne prouvait rien et qu'il devait reprendre le compte et avoir le courage de ne pas s'arrêter avant dix, mais n'osa pas le faire et ne la quitta plus des yeux sans remarquer que le bateau venait d'accoster.

Antoine se sentit dériver. Le pont qui grouillait de monde s'était mis à bouger. Tantôt la femme s'effaçait, tantôt le turban bleu surnageait pour de nouveau disparaître, soudain resurgir, traverser le champ et s'éclipser une fois de plus. Antoine se demanda s'il avait raison de donner le nom de turban à cette coiffure qu'il avait l'impression de reconnaître, si ce n'était pas plutôt un bonnet ou une coiffe, ou encore une cornette, sauf qu'il était peu probable que cette femme fût une paysanne française, égarée dans la baie de San Francisco, encore moins une religieuse vagabonde, d'autant qu'aucun ordre, rappelai-je, ne se coiffe de bleu.

Une sirène retentit. La foule s'écoulait plus vite, mais courants et sous-courants s'opposaient comme ceux du Pacifique et de la baie sous le pont du Golden Gate, et les silhouettes changeaient d'aspect et se ressemblaient. La femme était toujours là mais toujours méconnaissable; certaines autres faisaient mine brièvement d'être elle. La boule de la boucle d'oreille s'allumait subitement pour s'éteindre aussitôt derrière les épaules d'un homme, et la poursuite reprenait, accompagnée du sifflement de sirènes.

Ce n'était plus le pont du ferry sous les pieds mais la terre. Des lumières électriques éclairaient parcimonieusement de petits nuages mats. Il faisait jour, pourtant les détails des figures, des vêtements, s'estompaient. Antoine força le pas, se persuada qu'il avait perdu la femme, s'élança, se dit qu'il courait dans une fausse direction, piqua des deux en sens inverse, et découvrit devant lui un contour de visage : c'était elle.

Il la voyait pour la première fois de trois quarts, la tête légèrement penchée de côté. Tout lui semblait familier, la largeur et l'arrondi du visage, le saillant des pommettes, la courbe du front, plus encore la bouche entrouverte aux lèvres renflées et, dirigé par-dessus l'épaule, le regard oblique des grands yeux ovales, d'une teinte mordorée avec des reflets verts. Elle ne l'avait pas aperçu et semblait ne se rendre pas compte de sa présence; il ne pouvait deviner si elle cherchait ou venait de trouver un autre, car elle ne semblait sourire à personne en particulier, ni même reconnaître quiconque, pourtant son regard demeurait immobile, donc posé sur quelqu'un, à moins que ce ne fût quelque chose, puisque son expression ne permettait pas d'établir s'il s'agissait de l'un ou de l'autre. Il se retourna pour s'en assurer, n'aperçut aucune figure arrêtée au milieu de la foule avançant en désordre, s'efforça de retrouver la femme, la vit de dos qui s'éloignait, lança un cri qui fondit dans l'explosion d'une nouvelle sirène, encore plus rapprochée que les précédentes, s'élança en se demandant ce qu'il venait de crier pour comprendre qu'il l'avait appelée par son nom, il ne savait pas lequel.

Pressés de rentrer chez eux, les voyageurs fuyaient en tous sens, passant devant lui, l'obligeant à courir en zigzags, et la femme devenait plus lointaine, moins discernable. Il n'était plus certain que c'était bien elle qu'il avait aperçue, il y en avait de très différentes qui commençaient à lui ressembler, certains détails lui faisaient déjà défaut, surgissaient sur d'autres têtes, d'autres épaules, les boucles d'oreilles s'échappaient d'une chevelure noire, le turban bleu glissait pour se poser autour du cou en écharpe. Les couleurs s'estompaient.

Elle ne l'avait toujours pas découvert. Un regard unique aurait suffi : s'il la connaissait, elle l'aurait reconnu. Evitait-elle de le faire ? Avait-elle oublié son nom à lui, elle aussi ? Ou ne se doutait-elle même pas de leur drôle de rencontre, se terminant en queue de poisson sinon en queue de sirène ? Et cela pour la simple raison qu'ils se rencontraient pour la première fois, se frôlaient à peine, et que lui seul s'en souviendrait plus tard au hasard des mouvements de la foule, des gestes, des phrases, du temps, de l'heure, et, par-dessus tout, d'une ressemblance sans doute transitoire, une fausse ressemblance dont elle ne se doutait même pas, par sa faute ou par celle d'Antoine.

Elle était en passe de devenir l'inconnue qu'elle avait toujours été apparemment, et pourtant ces apparences, il y en avait, ce n'était pas certain mais possible, probable, à mesure que ses traits s'atténuaient, s'émoussaient, s'effaçaient petit à petit. Inconnue familière, aucun nom ne lui convenait, tous étaient vraisemblables, elle pouvait s'appeler Irène, Clotilde, Brigitte, et même Anne ou Marie, mais laquelle de ses connaissances se nommait-elle ainsi ? A tout hasard Antoine lança : « Adrienne ! Catherine ! » puis, plus fort encore : « Juliette ! » supposant qu'elle ne pouvait pas l'entendre, le craignant, mais redoutant le contraire.

Un vide se forma devant lui. Il doubla le pas et, au même moment, la femme tourna la tête, comme elle l'avait déjà fait une fois. Son visage, son turban étaient moins distincts, mais elle ressemblait de nouveau à elle-même. Elle ne posa pas sur lui son regard oblique et comme tout à l'heure on ne pouvait deviner si elle observait quelqu'un ou quelque chose. Une sorte d'écharpe blanche et floue flottait dans l'air autour d'elle, il n'y avait que cela de nouveau. Soudain, elle sourit.

Ce mouvement à peine perceptible la rendait méconnaissable. Elle avait rajeuni, jeune fille plutôt que jeune femme, amène, câline, et en même temps distante et secrète comme cela convient à partir de quatorze ans. Le sourire ne faisait que fléchir légèrement la lèvre inférieure aux deux bouts et traçait un soupçon de ride courant du coin de l'œil vers la tempe. Elle ne pouvait l'adresser à Antoine dont elle devait ignorer jusqu'à l'existence, sans doute à personne, tout au plus à des nuages de souvenirs, petits comme ceux qui ondulaient au-dessus de la baie. Il hésita avant de se précipiter et, le temps de son indétermination, elle se détourna et aussitôt s'effaça dans la brume de San Francisco où, pour l'instant, je n'entrevoyais encore qu'Antoine et la jeune fille dont il pourchassait le nom. Elle, je la discernais dans les moindres détails, lui, au contraire, je n'en distinguais aucun trait et m'étais trompé en lui attribuant des cheveux châtains et une taille moyenne : je suppose qu'il était plus grand et avait une chevelure plus foncée. Je n'en suis pas certain : son aspect m'indifférait, autant que j'attachais de l'importance à celui de la jeune fille, comme si je la connaissais par cœur, un cœur débordant de tendresse.

Tous deux, je ne pouvais les observer qu'à San Francisco que je ne connaissais pas encore, en balance que j'étais entre les divers moyens de transport, depuis une auto jusqu'aux trains de marchandises, celle-là m'imposant un trajet établi par son propriétaire, ceux-ci innombrables et divergents qu'on attrape et abandonne au petit bonheur ou, faute de chance, au hasard d'un entretien, d'un paysage, du nom d'une bourgade. L'Amérique, mais laquelle ? Un Monde baptisé Nouveau par des navigateurs qui l'avaient découvert par méprise ou celui des tribus l'habitant depuis des millénaires et dont, dans le mélange de mes curiosités, de mes passions, et des besoins éventuels de mon histoire, je me sentais tenté de faire la connaissance en raison de nos liens de famille, à en croire la Cherokee qui m'avait accosté à Paris ?

Pour l'instant, les traits d'Antoine plus encore que ceux de la jeune femme au turban bleu et aux boucles d'oreilles demeuraient approximatifs, comparés à la chevelure noire et plate, aux pommettes de l'Indienne de la rue de Rennes que j'avais dévisagée dans ses expressions les plus irrationnelles et les plus élémentaires. J'ignorais tout des faits divers de sa vie qui l'avaient déportée d'Amérique jusqu'en France, mais ses rares paroles, plus encore la rigidité et la tension du regard révélaient sa solitude et, à mon égard, son espoir des retrouvailles. J'étais à la recherche d'une histoire, donc de personnages, et la Cherokee me semblait inventable, plus aisée à écrire que les deux autres : pour l'instant je n'avais qu'à les plonger dans la brume. Je m'attardais donc à New York et passais de plus en plus de temps à la bibliothèque pour apprendre à connaître mes ancêtres hypothétiques et leur mode de vie dont l'éclaircissement était susceptible de m'être utile pour mon histoire. Les ouvrages d'ethnographie étaient discordants, les cartes géographiques imprécises. Je préférais les récits de voyage.

J'en découvrais, des choses. Au pied des Appalaches poussaient les mûriers, les plaque-miniers, fleurissaient les magnolias; il fallait entreprendre l'ascension si l'on voulait rencontrer le chêne, l'érable et le hêtre; monter encore davantage pour rattraper le sapin, le bouleau et l'aliboufier, croisant des cerfs et des ours, les dépassant tous, arbres et bêtes, pour ne voir plus, au-dessus des sommets nus, dans le ciel nu, que les buses qui décrivaient lentement des spirales. Elles avaient appris à le faire du temps où la Terre était plate, spongieuse et mouillée; les animaux qui voulaient y vivre et ne pouvaient y descendre envoyèrent la Grande Buse, l'an-cêtre de toute sa famille, chercher le bon endroit. La Grande Buse survola la Terre en rase-mottes, mais les mottes étaient trop molles, l'oiseau était fatigué, et ses ailes ployaient; là où elles touchaient le sol elles traçaient des vallées et là où elles se relevaient surgissait une colline. Effrayées à l'idée que la Terre serait faite de crêtes et de cimes, les bêtes rappelèrent la Grande Buse, mais le pays cherokee est demeuré couvert de montagnes.

C'est ce que les Cherokees préféraient, eux qui avaient peuplé cette contrée peu de temps après la Grande Buse et qui aimaient cultiver les coteaux, chasser le cerf, l'ours et la dinde sauvage, se faire protéger, soigner et guérir par les sept arbres sacrés : le pin, le sapin, l'épicéa, le rhododendron et la kalmie, l'aliboufier et le cèdre rouge dont il fallait brûler les branches pour qu'avec la fumée, les prières montent jusqu'aux oreilles des esprits bienveillants, que les aiguilles enflammées chassent les mauvais esprits, les uns comme les autres peuplant les forêts des monta-gnes dont les sommets étaient dominés par les nuages orageux où régnait, en compagnie des buses, le dieu de tonnerre Asgaya Guigagueï, l'Homme Rouge, de la même couleur que l'éclair, sans oublier les fantômes des morts qui planaient autour de leurs anciennes habitations avant de gagner l'autre monde et ses sept ciels.

Sept était un nombre sacré : il n'y avait pas que les ciels et les arbres, mais aussi les sept cérémonies dont six tous les ans, la septième chaque septième année, et les sept directions : le nord, le sud, l'est et l'ouest, l'au-dessus, l'au-dessous et l'au-milieu. Il ne faut pas non plus oublier les sept garçons qui passaient leur vie à danser en rond, battant le tambour. Leurs parents donnèrent l'ordre d'y mettre fin, et lorsque père et mère s'approchèrent, les enfants s'élevèrent dans le ciel sans interrompre la danse, et ils y sont toujours; certains croient que la plus petite des étoiles — la septième, bien sûr — est le tambour, d'autres disent que c'est le plus petit des garçons. Le même nombre a sa part dans la cérémonie de la nouvelle lune d'octobre, quand toute la commune veille jusqu'à l'aube et rejoint le chaman au bord de la rivière. A tour de rôle, chacun doit sauter dans l'eau et s'immerger à sept reprises pour contempler son reflet dans un cristal que le sorcier a placé sur la berge; si l'image le représente allongé, il mourra avant le printemps, s'il apparaît debout, il est certain de survivre à l'hiver. La journée terminée, les condamnés regagnent la rivière et regardent à nouveau leur image : si quelqu'un se voit droit sur ses pieds, il n'aura qu'à plonger sept fois encore et sera sûr de guérir.

Je me suis aperçu que j'avais moi-même des préférences et des appréhensions dans le monde des chiffres, frôlant de vieilles croyances qui moisissaient au fond de ma mémoire, sans m'étonner dans un couloir d'hôtel qui n'avait pas de chambre 13, dans une rue dont la treizième maison portait un 11 *bis*. Les clients, les locataires n'avaient donc rien à craindre, et je n'avais pas besoin d'avoir une origine cherokee pour y croire. Ce qui me troublait davantage c'est de me rendre compte que j'avais un attachement au nombre 7. Je le jugeais propice, favorable, qu'il s'applique à la date d'un événement, à l'heure d'un rendez-vous, au nombre des collines de San Francisco, et je n'étais pas surpris de constater que la tribu cherokee avait toujours été divisée en sept clans. Je me demandais si, selon ma Cherokee de Paris, elle et moi appartenions au même clan, et je poursuivais mes lectures, découvrant que s'il en était ainsi nous devions nous tenir à l'écart l'un de l'autre, toute liaison étant interdite à l'intérieur du clan. Chaque ouvrage regorgeait de renvois, l'embarras du choix était extrême. Autant lancer dans l'eau des galets qui provoquent des cercles de plus en plus vastes, de plus en plus flous. Sans m'en apercevoir, j'étais à l'autre bout des leçons de l'histoire et, quittant la Public Library, je m'arrêtais devant le vendeur de journaux et achetais ceux des cités illustres ou des bourgs dont j'ignorais jusqu'au nom : Los Angeles ou New Canaan, Chicago ou Tishomingo. J'apprenais l'Amérique.

A Hollywood, au cimetière, devant le mausolée en marbre blanc de Rudolph Valentino, la plus adorée des vedettes du cinéma, dont on commémorait le douzième anniversaire de la mort, les reporters attendaient l'apparition, comme tous les ans, de l'inconnue, vêtue de noir et voilée. Cette fois-ci, il en était venu trois. La première était grassouillette; la deuxième maigrichonne; la troisième, blonde et mignonne, arriva en voiture conduite par un chauffeur. Elle s'approcha du caveau et versa des larmes, les étanchant avec un petit mouchoir bordé de noir. Dix ans plus tôt, un homme qui tournait un documentaire avait eu l'idée d'engager, moyennant la modique somme de cinq dollars, une jeune figurante pour la filmer s'agenouillant devant la tombe de Valentino. Le commentaire expliquait qu'elle revenait chaque année et gardait son secret pour elle-même. Le petit film passa dans les salles, et tous les ans, à la même date, une femme en deuil réapparut au cimetière. Toujours pareille ? toujours différente ? nombreuse et diverse comme les trois dernières ? me demandais-je, alors qu'à l'autre bout du continent, à Rockleigh, dans le New Jersey, Douglas G. Hertz et madame célébraient l'anniversaire d'Anna, une jument qui avait joué dans *Le Fils du cheik* avec Valentino. Quinze chevaux et une mule assistaient à la fête, on servait des légumes verts, des carottes et un gâteau glacé, en même temps qu'à Baltimore, à un coin de rue, Robley D. Stevens, trente ans, chômeur, s'offrait à la vente : « Je suis, disait-il, un esclave blanc et dois trouver du travail ou crever de faim », pendant qu'à New York, Calvin Smock, trente-huit ans, Noir, métallo, chômeur, grimpait sur un des câbles du pont de Williamsburg et s'efforçait d'atteindre la tour Manhattan, haute de quatre-vingt-cinq mètres, pour sauter dans le fleuve et se tuer, alors qu'en Californie, une femme et un pasteur priaient, à genoux près d'un lit qu'occupait un enfant de neuf ans, hurlant de douleur : crise d'appendicite. L'ambulance arriva, la mère n'ouvrit pas la porte. Le lendemain, les mêmes hurlements, l'alerte dans le voisinage, la venue des secours, le refus de la femme. Profitant de son absence, on transporte l'enfant à l'hôpital. Il est mort au bout de deux jours. Interrogée, sa mère dit que les prières avaient amélioré l'état de son fils, état qui devait, selon elle, empirer à la clinique. Le révérend déclare que sa secte a foi en la puissance curative de la prière. Le tribunal jugera. De l'autre côté de l'Amérique, à Concord, en Caroline du Nord, à deux pas du pays cherokee, le procès de Baxter Parnell, fermier, était déjà terminé. Une Noire, Jenny Morris, avait témoigné qu'elle lui avait donné une herbe et conseillé de la mastiquer avant de la cracher. Le paysan lui-même déposa que, quelques années plus tôt, il s'était châtré pour des raisons qui lui échappaient, et que la racine de la guérisseuse noire, il l'avait mâchée, ce qui lui a fait chavirer la tête : ensorcelé, il a tué sa belle-sœur, Janie Funk, dix-neuf ans. Verdict : peine de mort ; procédé : chambre à gaz. Qu'en diraient les habitants de la Terre dans cinq mille ans puisqu'à Pittsburgh, les techniciens de l'usine Westinghouse terminaient la fabrication d'un réceptacle qui serait enterré pour être ouvert en l'an 6938 et faire connaître aux descendants le niveau des sciences et des arts ?

Je pliais les journaux, ouvrais les livres, lisais l'histoire cherokee des esprits qui vivent au fond des rivières, se nourrissent de chair humaine, viennent tuer avec des flèches invisibles des enfants endormis, laissant à leur place des images qui meurent au bout de sept jours, sept encore.

Je posais le volume, reprenais un journal, me trouvais en Californie, cette fois-ci aux environs de Merced. Les Harwell étaient à table dans l'unique pièce de leur bicoque. Les deux enfants étaient maigres, le père portait une salopette décolorée, sa femme une robe de coton rafistolée : tous deux ne possédaient rien d'autre.

Comme tous les soirs, on lisait le Nouveau Testament. C'est la femme qui faisait la lecture,

que son mari et l'aîné des deux fils — dix ans
d'âge — ponctuaient en disant amen.

— « Si ta main ou ton pied, déchiffra-t-elle,
est pour toi une occasion de chute, coupe-les
et jette-les loin de toi : mieux vaut pour toi entrer
dans la vie boiteux ou manchot que d'avoir
deux pieds ou deux mains et d'être jeté dans le
feu éternel. »

— Amen ! s'exclamèrent le père et le fils.

La jeune femme — elle avait vingt-six ans —
poursuivit :

— « Et si ton œil est pour toi une occasion
de chute, arrache-le et jette-le loin de toi; mieux
vaut pour toi entrer dans la vie, n'ayant qu'un
œil, que d'avoir deux yeux et d'être jeté dans le
feu de la géhenne ! »

Son mari dit amen et l'enfant aussi. La mère
leva la tête et annonça calmement :

— Mon œil droit et ma main gauche ont
péché.

L'homme ne dit rien, les enfants gardèrent
le silence et la suivirent d'un regard attentif qui
se mettait debout, ramassait une paire de ciseaux
et sortait. Elle gagna la remise, s'enfonça les
ciseaux dans un œil, posa le bras sur une plaque
de ciment et se donna trois coups de hache. La
main tomba par terre. Son mari s'approcha et
récita des prières. Elle en fit autant. Lorsqu'ils
eurent terminé l'homme envoya le plus âgé des
enfants pour demander de l'aide chez une voisine,
et elle alerta le pasteur de la secte de la Pentecôte
qui, à son tour, avertit un policier. Celui-ci
transporta la blessée à l'hôpital de Merced.
Deux heures s'étaient écoulées depuis son attentat
contre elle-même, elle avait perdu beaucoup
de sang mais gardé toute sa connaissance. Les
médecins déclarèrent qu'elle allait se remettre,
mais je ne saurai jamais ce que signifiaient le geste

pervers de sa main gauche, le regard irrémissible de son œil droit, ni si son mari l'avait su, si lui-même l'avait absoute, si tous deux avaient prié pour faire pardonner le péché, et dans quel âge ils vivaient — le Moyen Age, l'âge d'airain, de pierre ? — cet homme et cette femme, et les Indiens Hopis qui, la veille, dans leur réserve d'Arizona, à proximité de la Forêt Pétrifiée, avaient célébré comme tous les ans depuis la préhistoire la Cérémonie du Serpent et envoyé dans le Désert Peint une cohorte de ceux qu'ils appellent les « petits frères », les serpents à sonnettes, chargés de prier les dieux de la tribu d'assurer la chute des pluies et les moissons abondantes, et déjà, le lendemain, les premières gouttes tombaient du ciel. Pourtant ce n'étaient pas les Hopis qui m'intéressaient : les Cherokees, eux aussi, redoutaient, dans la même mesure qu'ils révéraient, les serpents et, par-dessus tous les autres, le serpent à sonnettes qu'il fallait s'inter-dire de tuer et même d'offenser, car il était le chef de la tribu ophidienne. Tout Cherokee évitait de le mettre à mort sauf quand sa propre vie était menacée, et même alors il faudrait demander pardon à l'esprit du serpent pour expier le crime commis, sans quoi la famille du défunt enverrait un de ses membres pour qu'il administre au coupable une piqûre mortelle. Il suffirait de rêver qu'on a été mordu par un crotale pour se faire traiter comme si c'était arrivé, car on a reçu la morsure de l'esprit d'une bête et on en souffrirait pendant des années. Il est même dan-gereux d'en parler, il faut se borner à dire qu'on a été égratigné par une bruyère. Pour ce qui est des médicaments, à cause des relations occultes entre le serpent à sonnettes et le tonnerre, il est bon d'habiller la blessure d'écorce de tilleul mâchée parce que cet arbre est à l'épreuve des coups de foudre, comme le professe ce peuple dont une des leurs m'avait juré, devant l'entrée du mont-de-piété, rue de Rennes, à Paris, que j'en faisais partie. Bref, je poursuivais mes lectures, selon ma coutume, m'imaginais les wagons de marchandises avec les initiales des compagnies ferroviaires que je m'efforçais de traduire en voyages : M.S.P. & S.S.M., c'est-à-dire Minneapolis, Saint-Paul et Sault-Sainte-Marie, A.T. & S.F., à savoir Atchison, Topeka et Santa Fe, d'autant plus que, lors de mon premier séjour en Amérique, j'avais eu envie de visiter Topeka, dans le Kansas, en apprenant qu'une nuit, la ville avait été plongée dans les ténèbres : toutes lumières éteintes, les ascenseurs arrêtés, les postes de radio muets parce qu'à la centrale électrique, un grand serpent noir s'était enroulé autour des câbles à haute tension, électrocuté lui-même, provoquant un court-circuit, et ma curiosité avait été suscitée, je suppose, par un peu de sang cherokee en moi-même. C'est mon Indienne de la rue de Rennes que j'aurais dû interroger là-dessus.

J'ai posé le journal, regardé par la fenêtre. Le jour se levait sur New York. Il faisait encore nuit en Californie, les trains roulaient en tous sens, je n'avais qu'à chercher une gare de marchandises, monter en marche, m'abriter entre les tonneaux, les barriques, les caisses, dépasser les quais de chargement, les voies de service, les aiguillages, traverser les banlieues, en écoutant le ronron toujours plus régulier des roues, m'approcher de la porte et suivre des yeux les paysages dissemblables d'un continent, sans m'interrompre de faire des connaissances sinon pour changer de ligne, à la recherche d'une réserve cherokee, celle de Qualla, par exemple, en Caroline du Nord, dans les Montagnes Bleues, près d'un bourg qui porte le nom de la tribu, et qui sait ? pour m'en rapprocher, faire mon profit d'un wagon avec les initiales N.C. & S.L. qui signifient Nashville, Chattanooga et Saint-Louis. Le téléphone sonna. Je décrochai, et Nathan, l'homme qui m'avait proposé de l'accompagner en voiture, me dit qu'il avait décidé de faire un petit détour par Detroit, excepté quoi il comptait toujours traverser le continent en ligne droite et voulait savoir si j'avais fini par faire mon choix entre les hasards des errances et les avantages d'une auto pour me rendre d'un océan à l'autre. Je priai Nathan de m'accorder un bref délai pour lui donner une réponse, raccrochai le téléphone et m'imaginai San Francisco dont Antoine battait le pavé dans l'espoir de retrouver la silhouette d'une jeune femme qui, esseulée dans des rues obscures, lui avait semblé familière.

La brume rasait toujours la baie et voilait les mouettes, mais le port s'ensoleillait. Un cargo venait d'accoster et une bande de dockers — blousons noirs et casquettes blanches, le crochet fixé à la poche-revolver — montaient à bord. Antoine fit un bond de côté : il n'avait pas remarqué le tracteur qui passa devant lui en tirant une douzaine de remorques encore vides pour s'arrêter à côté du navire. Les treuils commençaient à cliqueter.

Antoine gagna le trottoir, avançant en zigzags au milieu d'une foule de marins, de débardeurs, de colporteurs qui juraient leurs grands dieux aux passants que rien n'était plus profitable que leurs billets de loterie et de courses de chevaux, surtout si l'on y joignait un porte-bonheur qu'on pouvait acquérir à moitié prix. Les matelots, il y en avait de toutes couleurs, de toutes langues, qui faisaient halte devant les boutiques dont les devantures débordaient d'accor-

déons et de lampes de poche, de rasoirs
d'eustaches et d'amulettes qu'Antoine examina,
se demandant s'il ne devait pas en acheter une,
mais comment savoir laquelle lui permettrait de
retrouver la jeune femme qu'il avait égarée, à
moins qu'elle ne l'eût fui, s'interrogeait-il sans
réussir à se répondre. Il fit quelques pas, s'arrêta
devant une vitrine au milieu de laquelle un tatoueur était en train d'orner d'une silhouette
féminine la poitrine d'un homme dont chaque
bras était déjà paré de deux ancres entrecroisées ;
on pouvait le voir qui échangeait des gestes, sans
doute faute de langue commune, avec l'artiste, à
coup sûr désireux de connaître le modèle de
beauté que préférait le client, qu'il s'agisse de la
longueur des cheveux ou du volume des seins.
Je suivais Antoine du regard. Trop de couleur
locale, trop de détails disparates, collectionnés
dans mes lectures, pas assez de points de tangence
entre lui et la jeune fille qui ne s'appelait même
pas encore. J'ai laissé Antoine doubler un marchand ambulant qui poussait une charrette de
pacotille, passer devant un restaurant, un autre
tatoueur qui, dans l'attente d'un chaland, fumait
devant sa porte, un saloon plein de monde, et
soudain je l'arrêtai.

Derrière une fenêtre empoussiérée, seule à sa
table, une femme se tenait assise. Il crut reconnaître la sienne, celle qu'il avait aperçue sur le
ferry-boat. Seulement elle avait enlevé ses boucles
d'oreilles dont la présence l'aurait identifiée aussitôt, en plus elle s'était décoiffée, et ses cheveux,
il les remarquait pour la première fois, difficile-
ment discernables, tellement les carreaux étaient
sales. Elle semblait observer le quai, de biais, et
Antoine recula, voulant l'examiner plus atten-
tivement avant d'être découvert par elle ; ce qui
comptait le plus, c'était de garder les yeux collés

sur elle à l'instant où elle se rendrait compte de sa présence. Il attendit la sortie de deux marins pour se glisser à l'intérieur.

Tout le monde fumait. La fumée des cigarettes et des pipes montait au plafond et formait des nuages autour des rares ampoules. Antoine se fraya un passage jusqu'au fond de la salle, de façon à voir la tête de la jeune femme de trois quarts mais de dos. C'était bien elle : il reconnut l'arrondi de la joue, la courbe du front et la longueur des cils. Il se pencha à gauche et distingua la crête du nez et la commissure gauche de la bouche. Tout lui ressemblait et, plus encore que le reste, la lèvre inférieure, plus charnue que l'autre. Il ne lui manquait qu'un prénom ainsi que l'endroit et la date de leur première rencontre, pas celle imaginée par moi, à bord du ferry-boat, se dit-il, mais où et quand ?

Un matelot surgit entre eux, coiffé d'un bonnet dont le pompon blanc frôlait une lampe, et l'inconnue disparut derrière lui. Antoine se déplaça pour la retrouver, mais l'homme avança en même temps, comme s'il le faisait exprès, et la femme demeura introuvable. Il n'y avait qu'à contourner l'obstacle, ce qui se révéla impossible : une demi-douzaine de dockers venaient d'entrer et s'arrêter au milieu de la salle. Tout se passait comme à bord du bateau dans la baie : les marins étaient descendus à terre, la fumée de tabac avait remplacé la brume pour dissimuler la jeune femme, à moins qu'elle ne fût elle-même cachottière. Comment savoir si elle se voulait clandestine et furtive, évitant tout contact, tout regard, quel qu'en soit le responsable, ou si c'est Antoine en personne qui était évité, mais pour quelle raison ? La tête lui tournait à vide : un embrouillement de réponses, toutes plausibles, toutes ambiguës. Il entendit derrière lui des voix parlant une langue étrangère qui n'était ni slave ni romane, et fit demi-tour. Le porteur du pompon blanc avait disparu, libérant un espace considérable, mais l'inconnue n'était pas apparue à l'endroit où Antoine croyait l'avoir vue. Peut-être était-elle partie.

Désespéré, il chercha de tous côtés : pas de femme, ni elle ni aucune autre. Rien que des hommes, de plus en plus divers et nombreux. L'un d'eux, un graisseur, à en juger par ses mains, fit un pas de côté, et Antoine faillit s'exclamer : la jeune fille était toujours assise à la même place et suivait des yeux, à travers la fenêtre embuée, une silhouette qui se dirigeait vers l'entrée. La porte s'ouvrit, un docker parut, et aussitôt elle se détourna, posant devant elle un regard indifférent. Il était facile de conclure qu'elle attendait quelqu'un, donc avait un rendez-vous et s'était méprise sur le docker et l'avait confondu — avec qui ? une connaissance ? son ami ? son mari ? C'était inimaginable, elle ne pouvait être mariée : il n'y avait qu'à la dévisager. Et ceci consolait de cela puisqu'on pouvait en déduire qu'elle ne devait rencontrer qu'une vague relation. Antoine n'avait aucune raison d'être jaloux ou désespéré, les deux peut-être, et jaloux et désespéré.

Ils restaient donc seuls, elle et lui : un moment d'accalmie. Elle ne bougeait pas la tête, continuant à parcourir la foule d'un regard calme, que je ferais peut-être mieux de rencontrer, se dit Antoine, pour remplacer le jeu de questions et réponses par une certitude. La connaissait-il ou la prenait-il pour une autre, mais pour qui, et faute de réponse, se trompait-il, convaincu qu'il était de la reconnaître ? Je continuais à m'interroger. Elle seule pouvait résoudre le problème, elle qui, glissant des yeux sur marins et dockers, n'avait pas l'air de le remettre en mémoire, à moins de faire semblant, étant donné qu'à chaque question il y avait deux réponses, chacune faisant naître deux nouvelles investigations. La tête d'Antoine avait recommencé à tourner comme une toupie.

C'est à ce moment-là qu'elle posa les yeux sur lui et les garda immobiles. Il baissa les siens, les releva, retrouva les grandes prunelles de l'inconnue qui n'avait pas bougé, s'efforça d'embrasser d'un seul coup le visage tout entier dont l'expression lui parut indifférente, sauf qu'un sourire à peine perceptible infléchissait les commissures des lèvres. S'ils s'étaient trouvés proches l'un de l'autre, il lui aurait adressé la parole, mais tous les clients dans la salle parlaient en même temps et criaient pour se faire entendre. Antoine était sur le point d'en faire autant et, faute de savoir le nom de la fille, lui jeter « bonjour ! » ou « salut ! ». Seulement il y avait trop de bruit. La voix n'aurait pas suffi pour attirer l'attention, pas plus qu'un geste du bras. Il eut beau l'agiter en cherchant un interstice entre les têtes, la jeune femme dut l'observer, mais comment deviner si elle pouvait se rendre compte que c'était elle qu'il appelait, d'autant plus que peut-être ne l'avait-elle encore jamais aperçu et que c'était lui qui se fourvoyait en croyant le contraire. Les deux suppositions étaient douteuses, aucune autre ne se présentait à moi. Antoine ne savait qu'osciller. Elle seule aurait pu le fixer; pour y parvenir il n'était pas nécessaire de trouver le chemin de son cœur, il aurait suffi de se frayer un passage dans la cohue jusqu'à elle et de lui adresser la parole. Subitement il comprit qu'il ignorait même si elle parlait français, si elle aurait saisi ses paroles. Il l'examina, à la recherche d'une solution, mais ni la bouche, ni le nez, ni les yeux ne suggéraient une réponse, sa veste marron clair semblait être taillée à la maison sans suggérer aucune mode ; pour ce qui est de son expression, elle ne rappelait personne sauf elle-même, c'est-à-dire celle qu'il croyait connaître.

A ce moment, elle détourna la tête, abandonnant Antoine des yeux pour regarder quelqu'un d'autre avec autant d'indifférence et exposant sa chevelure à la lumière biscornue d'une lampe qui semblait faire danser des mèches d'un châtain clair. Il eut l'impression de la voir pour la première fois, songeant au turban bleu pâle, bleu foncé et jaune ombré qu'elle avait porté sur le pont du ferry-boat et qui lui semblait familier. Il se pencha de côté pour mieux juger la couleur des cheveux et se rendit compte qu'il n'était pas le seul à observer la jeune femme. Ils étaient nombreux à la reluquer, plus surpris qu'attirés par l'aspect candide de l'unique visiteuse du saloon.

Je poussai Antoine à penser qu'elle aurait besoin de son aide et qu'il ferait bien de se rapprocher d'elle. Ce n'était pas facile : une multitude d'assoiffés se pressaient devant le comptoir, tous parlant en même temps. Une sirène résonna sur le quai, s'approcha, hurlant de plus en plus fort, ralentit, et toutes les têtes se tournèrent pour voir si la voiture des pompiers allait s'arrêter, ce qu'elle dut faire, car plusieurs personnes, le verre à la main, sortirent, espérant un incendie dans un entrepôt ou à bord d'un cargo. Antoine sursauta : la jeune femme n'était plus à sa place.

Il chercha du regard, s'efforça d'avancer et tout d'un coup l'aperçut qui avait déjà traversé la salle et était sur le point de sortir par un petit passage à côté du comptoir. Il fit de son mieux pour y parvenir sans se demander ce qu'il allait faire s'il réussissait à la rattraper : lui poser la main sur l'épaule, l'interpeller, pour quoi lui dire, et dans quelle langue ? Mais elle avait déjà disparu, refermant la porte derrière elle. Il attendit son retour, convaincu qu'elle était allée téléphoner à la personne qu'elle avait attendue et qui devait être en retard. Si l'autre se décommandait elle partirait, et il pourrait l'accompagner ou plutôt la suivre et se ressouvenir de leur première rencontre dont il n'avait gardé dans sa mémoire ni l'endroit ni la date ni les circonstances, rien que son visage.

Les clients se faisaient moins nombreux, la voiture des pompiers s'éloigna. Un matelot suédois aux cheveux de lin s'efforçait de dire quelque chose en un mélange de finnois et d'anglais. La jeune femme ne revenait toujours pas. Antoine finit par prendre son courage à deux mains et ouvrit la porte qu'elle avait empruntée. Devant lui, un couloir à peine éclairé, nulle part personne. Il écouta : aucune voix féminine. Antoine chercha le téléphone : il était absent, rien d'autre que quelques paniers par terre remplis de bouteilles vides. Les cris et les rires du saloon s'estompaient toujours davantage. Le garçon aboutit à une nouvelle porte, plus lourde que la précédente et obscure. Il la poussa, elle résista, il tira, elle s'ouvrit, et il se trouva dans la rue qui devait être parallèle au quai, une rue étroite, mal éclairée et déserte par où la jeune femme avait dû s'en aller.

Pris d'un accès de colère, il décida qu'elle l'avait reconnu et fui. Elle l'avait bien caché au moment où, ses yeux posés sur lui avec indifférence, elle faisait mine de le voir pour la première et dernière fois dans le seul but de l'obliger à le croire lui-même, à s'avouer qu'il se trompait en s'imaginant qu'il l'avait déjà rencontrée, lui qui n'aurait, si c'était vrai, jamais oublié son nom. Plus il la mettait en cause et plus il en tirait parti, soulagé qu'il était à l'idée que la fuite d'Isabelle était un aveu : il venait d'opter pour le nom d'Isabelle. Si elle s'était bornée à ne pas le reconnaître, n'avait pas quitté sa place près de la fenêtre, si elle était sortie du café après lui, il aurait fini par se dire qu'il s'était mécompté, que tout au plus ne faisait-elle que ressembler de loin à une vague connaissance, à peine une fréquentation depuis longtemps oubliée : il arrive sans cesse qu'on dédouble une image et qu'on croie la revoir alors qu'il s'agit de son reflet imaginaire.

Il venait de changer d'humeur. Au lieu d'en vouloir à Isabelle, d'être furieux contre elle, il se sentit dans de bonnes dispositions à son égard. Si elle ne s'était pas esquivée, il aurait admis qu'il s'égarait en croyant la connaître. Mais elle s'était dérobée, et il n'y avait aucune autre raison de le faire. Rien ne l'avait menacée, personne ne l'avait dérangée, et s'il s'agissait du bruit des voix, de l'odeur du tabac, d'un rendez-vous manqué, elle n'avait qu'à se lever et sortir. Mais Isabelle l'avait fait en cachette, par surprise, profitant d'un instant où l'attention générale l'avait délaissée. Quelle autre raison pour sa fuite que la présence d'Antoine ? Contrairement à leur rencontre à bord du bateau où les circonstances l'avaient empêchée de le remarquer, à présent elle l'avait aperçu, reconnu, éludé, comme en témoignait son regard attentif posé sur lui. Il ne s'était donc jamais trompé : elle était bien elle, qu'il continuait d'appeler par ce nom qui n'était pas le sien, car il n'avait jamais connu d'Isabelle, mais il avait raison de s'y appliquer : si jamais ils faisaient connaissance et s'il s'avérait qu'ils ne s'étaient pas rencontrés auparavant, il pourrait s'en tirer sous prétexte qu'il l'avait prise pour une vieille amie qui s'appelait justement Isabelle, comme je le lui avais suggéré.

Il s'interrompit pour se dire que si elle l'avait dévisagé en donnant l'impression de ne pas le

connaître, c'est qu'il ne s'agissait pas d'un subter-
fuge ni de leur ignorance réciproque, mais du
simple fait qu'elle était myope, ce qui prouvait
tout et rien. Il s'y attaqua aussitôt : Isabelle ne
portait pas de lunettes, elle avançait facilement
dans la cohue, le couloir qu'elle avait suivi était
à peine éclairé. Antoine préférait croire qu'ils
avaient droit, lui de se l'être rappelée, elle de le
fuir. Certes, cela posait un autre problème :
pourquoi avait-elle agi ainsi ? Il devait y avoir
une explication à l'attitude d'Isabelle. Si elle l'évitait, c'est que, dans le passé, sans doute un passé
éloigné, il était arrivé quelque chose entre eux,
une querelle, une brouille, une rupture, bref, un
mot au féminin. Lui, comment aurait-il osé faire
trembler le rebord renflé de la lèvre inférieure,
arracher des larmes aux plus beaux yeux obliques ?
C'est en vain qu'il se cassait la tête. Il était
court de mémoire. Peut-être devait-il d'abord
retrouver le paysage, l'heure, la parole, l'expression du regard, et soudain, en même temps que le
reste, Isabelle, tirée au clair par l'apparition de son
vrai nom et de tout ce qui s'ensuivait. Il n'y avait
aucun souvenir disponible ou bien l'avait-il perdu.
Il se dit que peut-être elle seule était au courant
de ce qu'elle lui reprochait; il y avait une nouvelle
raison à leur déchirement réciproque.

La nuit était tombée, la rue était à peine discernable à l'unique lumière d'un seul quart du
clair de lune. Antoine chercha la jeune fille
comme si elle l'attendait, dissimulée sous une
porte cochère. Il n'y avait personne. Il revint sur
ses pas, s'arrêta, se demanda si elle avait fui à
droite ou à gauche. La question était vaine,
dans la mesure où, comme toutes les autres, elle
conduisait à une bifurcation de réponses. Vou-
lait-elle lui échapper, se faire rattraper ou encore
se tenir à une distance respectueuse sans jamais

disparaître ? Il chercha dans sa poche une pièce de monnaie, la jeta en l'air pour savoir si elle allait retomber pile ou face : elle glissa dans la bouche d'égout. Il se dit qu'Isabelle était plus preste, plus ingénieuse que lui, et tourna à gauche.

La rue était courte. Antoine déboucha sur une voie plus large, sentit l'odeur de la vase, entendit la lente respiration d'une locomotive entraînant des wagons de marchandises, les cris des mouettes, couverts par la sirène d'un navire en partance. Il avait regagné l'embarcadère. Il n'y avait pas de passants, que des travailleurs du port et de la mer. Il avança, longea un cargo illuminé dont le treuil ne s'interrompait pas de crisser, se retrouva devant le saloon qu'il venait de quitter par la porte du fond. Il y avait toujours du monde. Une rue plus large formait un angle droit avec le quai. Antoine s'y engagea et s'éloigna de la baie, persuadé qu'il avait trop raisonné et ne devait se laisser guider par rien d'autre que le hasard s'il voulait voir surgir Isabelle.

Elle n'était nulle part, et il changeait de direction, faisait volte-face, rebroussait chemin. Cela sentait l'huile de coprah et le sucre brut, l'étoupe, le café torréfié et l'eau stagnante. Les rues changeaient de nom, Annie ou Jessie, Minna ou Clara, Bérénice ou Clémentine, mais jamais Isabelle, en tout cas, jamais Isabelle.

Il y en avait qui débordaient de restaurants où l'on mangeait et parlait arménien ou grec, des bistrots où l'on buvait du café et parlait turc, et partout des tendeurs de la main, preneurs de ciel à témoin, donneurs de belles paroles qui parlaient américain. Les épouses étaient plus rares, les jeunes filles absentes, les femmes légères disponibles.

Antoine poursuivait son errance à travers un

pays qui lui était étranger, remontant des rues qu'il avait déjà descendues sans les reconnaître avant de s'engager dans un passage plus étroit, plus sombre, plus surpeuplé que tous les autres. Il fallait faire attention pour ne pas marcher sur des gens qui dormaient allongés sur le pavé ou appuyés contre les murs des maisons et s'entretenant à voix basse. Il y en avait qui avançaient en tâtant la terre et l'air avec une canne et qui étaient aveugles ou faisaient semblant de l'être. Un homme d'un certain âge, avec les doigts qu'il plongeait dans un liquide noir et rouge, se peignait sur le bras des ulcères et des cicatrices, un autre attachait son avant-bras au bas des côtes, sous la chemise, pour se transformer en manchot, la plupart avaient fait leur deuil d'un membre, d'un organe, tous étaient usés, épuisés par la vie, gueux et pauvres hères qui franchissaient la frontière de leur refuge pour aller tendre la main ou le moignon dans les beaux quartiers et regagnaient la cour des miracles qu'Antoine venait de découvrir, lui qui ne se rendait pas compte que c'en serait un pour lui-même si, cette nuit-là, par le plus miraculeux des hasards, il voyait Isabelle surgir visage à visage. Je la connaissais trop pour prévoir les réflexes, les attitudes qu'elle aurait en apprenant à le discerner, lui, provisoire et fragmentaire ; je devais encore inventer Antoine, elle, imprévisible, la reconstituer. Et pourtant il n'y avait pas de brouillard, contrairement aux habitudes de San Francisco, le temps était favorable et le Pacifique paisible, à rebours de son double, l'Atlantique, qui s'était déchaîné d'un bout à l'autre, comme moi, preneur de ces notes, je venais de l'apprendre : en même temps que la guerre était sur le point d'éclater en Europe, l'ouragan montait à l'assaut des côtes d'Amérique, depuis le Maine et jusqu'aux Carolines ;

le Troisième Reich réclamait une tranche de Tchécoslovaquie, les premiers morts tombaient aux Etats-Unis, sur les champs de bataille qui étaient des champs inondés; autour de moi, les journaux ne savaient à quoi consacrer les manchettes de la une, aux tempêtes du Nouveau Monde ou aux mobilisations de l'Ancien. Et moi, qui ne m'étais posé qu'une seule question : devais-je parcourir l'Amérique en compagnie des vagabonds, à bord des trains de marchandises, pour retrouver une réserve de Cherokees et y caser ma connaissance indienne du boulevard Raspail, ou dans une voiture dont le propriétaire venait de m'annoncer qu'il était prêt à partir pour San Francisco où m'attendaient Antoine et Isabelle, un brin plus ressemblants qu'au début de l'histoire, mais pour servir à quoi ? Je l'ignorais encore. Je m'interrogeais sans savoir s'il n'était pas plus raisonnable de ne pas entreprendre le voyage.

Le jour se levait. A San Francisco, c'était encore la nuit, en Europe, midi. Les rues de San Francisco étaient désertes. Les poubelles débordaient de déchets. Je me suis baissé pour lire, au milieu des ordures, les manchettes des journaux. L'un en portait une brève : « Tchèques capitulent », un autre l'avait double : « Tchécoslovaquie décide de se rendre » et « L'ouragan balaye la côte 9 tués à Long Island 51 meurent dans le déluge en Nouvelle-Angleterre ».

Des femmes de ménage noires couraient vers les bureaux pour les décrasser avant l'ouverture.

J'en croisai une, passablement déguenillée, qui était au chômage.

— Hé ! hep ! cria-t-elle, monsieur le Blanc, donnez-moi un sou. Je ne tends pas la main, j'ai faim, c'est tout. Avez-vous jamais eu faim ?

Je repris la marche, m'arrêtai de nouveau pour

lire par terre : « Tempête tue 21 dans Long Island. »
Il y avait toujours plus de morts à portée du
métro new-yorkais, pas de victimes encore à
l'autre bout de l'océan.

J'ai questionné, ce jour-là, tous ceux que j'ai
rencontrés. Appréhensions et espérances s'entrecroisaient. Les croyances étaient contradictoires,
les superstitions également. Je devais y repenser,
en lisant au bord de la route une pancarte :
« Ferme de serpents. Tenez un serpent dans les
bras, prenez une photo. » Un serpent à sonnettes ?
Que dirait un sorcier cherokee ? C'était le vendredi 23 septembre 1938 et, depuis le matin, je
roulais, installé à côté du garçon qui rentrait à
San Francisco, ville que je ne connaissais pas.

Pour le moment, Nathan conduisait. J'attendais mon tour. Les nouvelles d'Europe étaient
faites de rumeurs, celles de la tempête, de chiffres :
460 morts, des dizaines de milliers sans logis ;
ils avaient le poids et la virulence d'une guerre,
la seule qui nous était familière, la guerre de 14.

Des cantonniers réparaient la chaussée. Nous
nous sommes arrêtés pour les interroger. L'un
d'eux a dit :

— Je n'ai pas encore vu les journaux aujour-
d'hui. Je crois qu'à présent il n'y aura pas de
guerre.

Il n'était pas d'âge à avoir fait la première, et
sa voix était indifférente. J'ai pensé superstitieu-
sement qu'il aurait dû dire le contraire. Pour
me rassurer, une belle petite nappe d'eau, toute
ronde, surgit, emmitouflée d'arbres, et je déchiffrai une enseigne : « Ce lac est à vendre. »

J'avais contaminé Nathan. Lui aussi posait des
questions et interprétait les réponses. Les nouvelles tournaient comme des girouettes. Les villes
se succédaient, de plus en plus petites, faites de
maisons en lattes de bois, chacune son bout de

jardin, et d'un centre dit d'affaires : quelques banques, quelques prix uniques, églises, cinémas et garages. Et, tout le long de la route, sur des piquets de bois ou une maîtresse branche coupée mais non équarrie, les boîtes postales en fer-blanc, parfois une seule, soit une ferme dans le voisinage, ou toute une brassée, donc un village. Peu de voitures, pas de passants, personne à interroger. Nous nous sommes arrêtés dans une ville un peu moins petite pour nous renseigner, avons appris au poste d'essence que le journal local venait de sortir une édition spéciale. Je me suis informé auprès d'un épicier :

— L'édition spéciale, pourquoi ?

Il a répondu :

— La guerre.

Nathan a demandé :

— Qu'est-ce qu'on peut faire ?

L'épicier a jeté :

— Nous occuper de ce qui nous regarde.

Le patron du Royal Grill, un gros à lunettes, s'excita en parlant :

— Si Hitler s'empare de la Tchécoslovaquie, il mettra la main sur la Hongrie, la Pologne, il voudra le monde entier. Ce n'est pas possible. Napoléon lui-même n'a pas réussi à le faire.

Arrêté au coin de la rue, un petit vieux, l'édition spéciale dans les mains, lisait la manchette : « Armées en marche à toutes les frontières. »

— C'est, dit-il, la plus grande folie de tous les temps !

Je demandai :

— Qu'est-ce qu'on peut faire ?

Il dit :

— Rien.

Nous avons démarré, traversé une rivière qui avait dû recevoir d'une tribu d'Indiens le beau nom de Susquehanna, et j'ai pensé que si le vieil homme, convaincu de la vanité de toute tentative, avait raison, je trouverais bien quelque part un consulat français, et tant pis si je n'avais pas emporté mon livret militaire. Nous avons laissé Athènes à gauche, Ithaque à droite, et Troie derrière nous comme si nous fuyions la guerre. Le soir tombait. Nous étions sans nouvelles. Au prochain poste d'essence, l'employé nous a dit :

— Je n'ai pas entendu la radio. Je crois qu'il n'y aura pas de guerre.

Nathan a demandé :

— Et s'il y a la guerre, que devons-nous faire ?

— Rester chez nous, a dit l'autre, et nous sommes repartis.

La radio racontait un match de football : c'était bon signe. Le sommeil pouvait être paisible et durer tard dans la matinée : nous étions de cinq heures en retard sur l'Europe, et les guerres commencent à l'aube. Nous avons bien dormi dans une petite ville, et Mme Fraley, notre logeuse, nous a dit, contournant prudemment le mot guerre :

— Eh bien, nous espérons tous ici que ça n'aura pas lieu.

Le paysage partageait la même espérance : il était paisible. A l'entrée des bourgades, les Rotariens, les Lions, les Chevaliers de Colomb, tous hommes d'affaires, souhaitaient la bienvenue aux arrivants, les informaient des lieux et des jours de leurs rencontres hebdomadaires et, à la sortie, adressaient aux partants des vœux de bon voyage et les invitaient à revenir. De petites enseignes avec un seul mot : « Antiquités », souriaient au bord de la route, entourées d'un groupe de poupées, de quelques chaises et de vases. Même les petits cimetières sans clôture semblaient quiets et accueillants : éparpillées dans un champ, les tombes s'arrêtaient au ras de la chaussée, parmi d'autres champs où poussaient d'autres cultures. Les rivières portaient toujours des noms indiens, les villes des noms d'Europe. A l'entrée du pont de la Paix qui menait au Canada, un fonctionnaire nous a dit :

— Ils ne se battent pas encore, mais ça a l'air pour bientôt.

Je me suis demandé si, dans Buffalo que nous venions de traverser, il y avait un consul de France. Je n'en sais toujours rien. Nous avons continué à rouler. A Lackawanna, deux gosses noirs vendaient côte à côte des journaux concurrents.

— Le mien est le meilleur, dit l'un. Le sien ne vaut pas cher.

Les deux feuilles se valaient : ni l'une ni l'autre ne savait tirer l'horoscope.

Le soleil se couchait dans le lac Erié, si large que la côte canadienne demeurait invisible. Dans un poste d'essence, la radio vomissait un match de base-ball et on entendait les hurlements de la foule. Nous avions décidé de nous arrêter chaque fois qu'un auto-stoppeur pointait son pouce vers l'horizon. Le premier était en chômage depuis sept mois, sept étant un nombre favorable à en croire les Cherokees. J'ai demandé :

— Que pensez-vous de la situation en Europe ?

Il a répondu :

— Oh ! là-bas, c'est mauvais aussi.

Il n'était pas le seul à le croire. A Cleveland, dans l'avenue qui portait le nom d'Euclide, devant une église annonçant pour le lendemain un sermon intitulé « Devons-nous désespérer de la démocratie ? », un gosse, une liasse de journaux contre le ventre, hurlait :

— L'Europe est prête à la guerre.

Assis sur un banc, un homme d'une cinquantaine d'années, déguenillé, se morfondait à tel point d'être seul et de se taire qu'il nous a adressé la parole pour nous confier — mi-blague, miplainte — qu'il n'était pas chômeur puisqu'il travaillait deux heures par semaine. J'ai fini par dire :

— Et la guerre ?

— Oui, a-t-il dit. Les Allemands.

Nathan s'est renseigné :

— Il faut s'y mêler ?

— Non, aux chiottes ! On l'a bien fait la dernière fois et on n'en a rien tiré. Pas un sou, rien.

Il a indiqué le lac devant nous.

— Ils ont coulé des bateaux là-dedans avec du blé et du sucre, de quoi manger pendant cinq ans pour le pays tout entier.

Les Cherokees, eux, aimaient faire la guerre; la Danse de la Victoire avait été une de leurs danses préférées. Une semaine après l'autre, hommes et femmes sautaient au milieu de la place du village, éclairée par des torches, et brandissaient les scalps de leurs adversaires vaincus.

Ses béquilles posées près de lui, un vieillard unijambiste et loqueteux, installé sur un canon du siècle dernier, contemplait de ses petits yeux bleus et vifs le lac Erié comme s'il cherchait les traces du blé et du sucre engloutis une vingtaine d'années plus tôt. Près de lui, un journal. J'ai lu les deux grands titres à la première page. A gauche, « Chamberlain rencontre Hitler — Pourparlers continuent aujourd'hui — Nouveau gouvernement à Prague ». Et, à droite, en termes télégraphiques : « Bilan tempête, 460, milliers sans abri — 250 tués région Providence — Nouvelle-Angleterre continue combattre inondation. »

Ainsi la balance était juste, les deux plateaux ne faisaient que se compléter. Je me suis demandé si le vieil homme s'intéressait davantage à l'un ou à l'autre. J'ai parlé en l'air, à peine plus question que présage :

— On aura la guerre ?

Les yeux toujours posés sur le lac ou sur l'avenir, il a répondu :

— Bien sûr.

Il s'est déplacé sur son canon, a souri.

— Qu'ils se battent. Et nous tous, on restera bien assis et on applaudira.

J'ai hésité pour finir par m'éloigner sans lui demander où il avait perdu sa jambe.

Toujours le même lac, les chômeurs sur la route qui s'arrêtaient en entendant approcher une voiture, et qui parlaient de travail et de guerre. A Avon Lake, dans le Snyder's Barbecue, j'ai demandé à la patronne, une blonde au double menton, s'il y avait des nouvelles. Elle a compris :

— Vous voulez dire la guerre ? Non, ils ne se battent pas encore. Tout ce que je sais c'est que je hais la guerre.

Et elle m'a fait cadeau d'une pochette d'allumettes sur laquelle on pouvait lire : « Avon Lake, Ohio, où les choses sont différentes et la vie vaut d'être vécue. »

Nathan m'a dit que tout valait mieux qu'un champ de bataille et nous sommes remontés en voiture pour reprendre un café au bar Petros, à Toledo. Je me suis renseigné :

— Des nouvelles ?

— Ils se préparent, dit le barman.

— Qu'est-ce qui va arriver ?

— La guerre.

La nuit approchait. Le journal de la ville s'appelait *Toledo Blade*, *L'Epée de Toledo*. La manchette annonçait : « Tchèques, Français mobilisent. » J'ai pensé : ça y est.

Le lendemain — une journée ambiguë, équivoque comme les autres — nous avons débarqué à River Rouge, chez Ford : 438 hectares de superficie, 148 kilomètres de voies ferrées, 2 kilomètres de docks, 104 000 travailleurs, la plupart — une casquette graisseuse et deux bras nus — debout devant la chaîne.

D'abord, le mouvement de la chaîne semblait lent. Tout se déplaçait : machines et ponts mobiles, barres, pièces et lingots d'acier et de fonte chauffés à blanc. Tantôt la chaîne passait au-dessus de la tête, armée d'hameçons qui étaient garnis d'amorces où les ouvriers mordaient à chaque coup. Tantôt elle avançait à hauteur des mains, au milieu d'une piste, entraînant sur des plates-formes des pièces plus grandes. Elle s'enroulait autour d'elle-même, revenait en arrière, remontait pour redescendre, bouclait la boucle, sortait des bâtiments et glissait vers d'autres bâtisses. C'était une double chaîne réunie par des chaînons transversaux qui mesurait deux cent vingt-neuf kilomètres.

Tout au long, les hommes faisaient chacun un geste, deux gestes, trois gestes, toujours les mêmes, et jamais davantage. Quelquefois ils se précipitaient dans la même direction que la chaîne pour achever un geste en retard et regagner en courant leur place. Là où les machines-outils étaient vastes les ouvriers étaient clairsemés, ailleurs Noirs et Blancs travaillaient corps contre corps, en serrant les coudes, en se frôlant les côtes, la sueur plaquant la chemise sur le dos. Dans la travée, on pouvait lire une pancarte : « Ces pastilles remplacent les propriétés chimiques que le corps perd en raison de la transpiration. Prenez-en une dans de l'eau quatre fois par jour. » Seulement les robinets d'eau étaient séparés des hommes par la chaîne : il fallait quitter sa place et faire une série de mouvements superflus : mieux valait renoncer à boire. La plupart étaient des jeunes, sauf quelques-uns qui conduisaient des machines plus complexes, c'est-à-dire nécessitant jusqu'à six ou sept gestes. Personne ne parlait aux voisins, tout proches. Aucun ne souriait.

C'est à l'ouest de Detroit que nous avons fait monter deux garçons. Ils étaient frères. L'aîné avait vingt-deux ans et répondait aux questions, le cadet, dix-huit ans, approuvait d'un hochement de tête. J'ai voulu savoir :

— Comment se sent-on en rentrant chez soi après avoir travaillé toute la journée à la chaîne ?

— Comment croyez-vous, a dit le frère aîné, qu'on puisse se sentir ? Comme un esclave.

J'en ai demandé la raison.

— Avez-vous vu, a dit le plus jeune, Chaplin dans *Les Temps modernes* ?

J'ai dit oui. Et lui :

— Eh bien, c'est ça.

— Pourquoi ?

— Les ouvriers ont deux minutes pour aller aux chiottes et ne doivent pas y aller trop souvent s'ils savent ce qui est bon pour eux.

Il n'a pas souri. Son frère a dit :

— De toutes les villes américaines, c'est à Detroit que *Les Temps modernes* ont eu le plus de succès.

Ils nous ont quittés, nous avons poursuivi le voyage jusqu'à un minuscule village qui portait le nom de Moscou, pour dîner dans l'unique restaurant-épicerie, tenu par un vieux couple aimable. Lui lisait le journal, elle faisait la causette. Il a levé la tête :

— Hitler a prononcé un discours. Il a dit qu'il a une armée assez forte pour battre tout le monde.

La femme a chuchoté pour elle-même :

— Oh, ça demande plus qu'une armée, beaucoup plus qu'une armée.

Elle m'a examiné.

— Si ça arrive de nouveau, il y a des chances qu'on vous prenne. Vous avez le bon âge, vous êtes jeune, bien portant.

Elle a poussé un soupir et gardé le silence. J'ai interrogé :

— Vous vous souvenez de 14 ?

— Si je m'en souviens ? Notre garçon y a pris part.

Nous avons démarré. Le lac Erié était loin derrière nous, le lac Huron au nord, la nuit écrasait l'Europe où la guerre pouvait éclater à l'aube déjà proche, mais il faisait encore jour devant nous, sur le lac Michigan. C'est là, dans les collines de sable qu'on appelle l'Ours Endormi, que jadis vivait Monedo Kway, la prophétesse indienne, dont la fille était si belle que, de peur de la voir enlever, la mère la gardait dans une corbeille au milieu du lac. Tous les matins, Monedo Kway tirait la corbeille jusqu'à la rive, peignait la chevelure étincelante de sa fille, la nourrissait et la ramenait au plus profond de l'eau pour la soustraire à la vue des ravisseurs.

J'ai regardé, le Michigan était calme, j'avais beau avoir des yeux d'Indien, la belle jeune fille demeurait invisible, les fumées et les flammes des hauts fourneaux montaient dans les nuées. C'est moi qui conduisais, observant les paysages discordants d'un continent que nous traversions, rêvassant à ma Cherokee parisienne; la poignée de souvenirs que j'en avais gardée était juste assez grande pour me permettre d'imaginer à ma guise le reste de ce personnage. Quant à Isabelle, je pouvais décrire avec précision chaque trait de son visage mais je n'avais jamais entendu sa voix; pour ce qui est d'Antoine, c'était le contraire : je ne l'aurais pas reconnu qui venait de s'arrêter au milieu d'une rue de San Francisco. Il leva la tête. Devant lui se dressait une colonne octogonale en forme de potence dont pendait une boule allongée de verre mat. De l'autre côté de la chaussée, un deuxième réverbère : une colonne taillée comme une tige de bambou, autour du sommet s'enroulaient deux dragons qui soutenaient de leurs pattes une lanterne hexagonale vert-jaune surmontée d'un toit rouge de pagode avec deux clochettes à chacun des six coins.

La voie était longue, pleine de boutiques, décorée d'enseignes horizontales et verticales où l'on pouvait lire des mots anglais et des noms de famille insolites, et d'autres, beaucoup plus nombreuses, dont les lettres étaient faites de traits courbes, annelés, droits, qui grimpaient les uns sur les autres. Les trottoirs débordaient de monde, contemplant les vitrines, s'arrêtant entre les voitures pour échanger des saluts. Personne ne prêtait attention à Antoine, lui ne les quittait pas des yeux. Tous avaient des cheveux noirs, tirant quelquefois sur le bleu. Aucun homme n'était chauve, aucun n'avait une moustache, les barbes étaient rares et chétives. La plupart étaient habillés de noir, quelques-uns de gros bleu plus ou moins lessivé, et coiffés d'un feutre à larges bords ou d'une casquette sinon d'une calotte avec un bouton au sommet. Les vêtements des femmes ressemblaient davantage à ceux des quatre quartiers de la ville, sauf chez celles qui portaient des tuniques de soie brodées de fleurs, descendant aux genoux ou à mi-mollet, aux larges manches cachant les mains, et des pantalons s'arrêtant à la cheville pour révéler des pieds menus, effilés. Aucune n'était blonde, et Antoine se dit que dans Chinatown, le quartier chinois de San Francisco, il aurait été facile d'apercevoir et de reconnaître Isabelle, comme il la désignait à présent, du moins lorsqu'il en parlait à lui-même ou ne faisait qu'y penser, convaincu qu'elle s'appelait ainsi pour l'unique raison que c'était le premier et le seul nom qu'il lui avait attribué sans le mettre en balance pour comparer son poids à celui des autres. Rien n'a la force de la coïncidence, et si jamais il réussissait à la découvrir et à lui adresser la parole, il la nommerait Isabelle, la chance d'avoir deviné juste étant aussi singulière que celle de la retrouver par hasard comme il l'avait fait en pénétrant dans un saloon de l'embarcadère. Ça valait la peine de risquer le tout pour le tout puisque Antoine avait l'impression d'avoir changé de continent, de peuple, peut-être de rêve, de se trouver dans une espèce de ville intérieure où toute passante pouvait naître, vivre et mourir sans jamais en sortir, et d'y tomber sur celle dont l'apparition était imprévisible.

Il erra dans la foule étrangère qui semblait ignorer sa présence et dont les remarques, les protestations, les confidences résonnaient comme un mélange de gazouillis et de ramages. Il s'arrêtait, faisant semblant d'examiner les devantures, et guettait, entre les robes de chambre de soie, les éventails, les vases de porcelaine, la naissance des reflets de femmes. Elles avaient toutes des cheveux noirs et lisses, des yeux étroits, incurvés et longs. Aucune n'était Isabelle. Elles abandonnaient la vitrine, emportant leur reflet, et Antoine repartait à son tour pour s'arrêter de nouveau, à tout hasard et tout risque, étudier les accidents de lumière dans les glaces et la brillance des chevelures sombres, la danse des bouches inaudibles au milieu des souvenirs de Chine, écouter les pépiements et les roucoulements de ses voisines invisibles. Il arriva à une nouvelle rue transversale, aperçut une construction comme il n'en avait encore jamais vu et tourna à gauche. La voie descendait vers la baie. La maison était faite d'un rez-de-chaussée et de trois étages, chacun plus petit que celui qui le soutenait et entouré d'un toit de tuiles en saillie dont les quatre coins remontaient en s'arrondissant. Antoine se dit que c'était une pagode et pénétra à l'intérieur.

La salle était éclairée de lampes électriques et décorée de laques et d'objets sculptés. Assises côte à côte derrière une barrière, face à des panneaux où clignotaient des lumières, de jeunes Chinoises, un casque dans les cheveux, enfonçaient des fiches dans le standard et piaulaient en une langue qu'Antoine ne pouvait comprendre. Aucune n'était châtain clair, aucune ne se retourna pour le voir, et il quitta le central téléphonique sur la pointe des pieds comme il y était entré, sans avoir vu face à face les jeunes filles qui passaient leur vie à relier les voix éparses qui échangeaient des nouvelles, des secrets, des rumeurs, pourquoi pas sur la présence dans le quartier d'une voyageuse venue d'Europe, dont on ignorait jusqu'au nom et qu'on soupçonnait de cacher quelque chose, peut-être de se cacher soi-même mais de qui et pour quelle raison ? Ainsi réfléchissait Antoine qui attribuait ses soupçons et espoirs aux usagers du téléphone, espérant qu'ils lui offriraient en échange des détails qu'il ignorait, sinon une adresse — il tenait à ne pas exagérer — du moins un numéro qui l'aurait mené jusqu'à Isabelle, solution trop facile qu'il rendait plausible en rappelant que ces chiffres, il ne les avait entendu prononcer qu'en une langue d'oiseau et n'aurait su les lire dans l'annuaire de Chinatown qui se composait d'idéogrammes impénétrables. La ville illisible offrait le meilleur refuge de tout San Francisco, et il n'y avait rien de surprenant qu'Isabelle eût jeté son dévolu sur elle.

Ce n'est donc pas par hasard qu'Antoine l'avait choisie, plus précisément il avait opté pour le meilleur des hasards, et il ne lui restait qu'à tenter l'aventure. Il se dit qu'il aurait dû interroger les standardistes qui toutes devaient vivre dans le voisinage et avaient à coup sûr rencontré dans la rue la jeune fille qu'il pouvait leur décrire en signalant qu'elle s'appelait Isabelle, ce dont il n'était pas certain mais qu'il jugeait probable.

C'est bien ce que je lui avais suggéré de croire : il n'était pas censé savoir qu'Isabelle lui était apparue en sortant de ma tête, sauf que moi-même, loin d'imaginer la jeune fille comme ça me chantait, je devais tenir compte d'elle telle qu'elle était, puisque je l'avais rencontrée, avais appris à la connaître, et n'avais que le droit de la reconstituer pour l'écrire.

Prudent, Antoine n'adressa la parole à personne. Toujours autant de passants et des poignées de bavards, obstruant les trottoirs, sans oublier les hommes de divers âges qui tiraient ou poussaient des charrettes en courant comme des coolies, mot qui, dans leur langue, se disait *k'ou-li*, ce qui signifie force amère. D'autres transportaient poissons ou légumes dans de vastes paniers attachés aux deux extrémités d'un long bâton qui reposait sur leurs épaules. Antoine avança, revint en arrière, refit demi-tour, s'arrêtant pour lever la tête en observant les rues qui escaladaient les collines, la baisser comme celles qui dégringolaient dans la baie; à intervalles réguliers, surgissait un funiculaire, débordant de monde, qui grimpait au sommet des unes ou dévalait les autres. Toujours aucune trace d'Isabelle.

Il finit par abandonner l'avenue, remonta une pente, tourna dans une ruelle. Elle était étroite et déserte. Dans chaque maison, une porte donnait sur un couloir obscur ou condamnait l'entrée d'un ancien magasin dont la devanture ne gardait que des chiures de mouches au milieu de toiles d'araignées à tel point déchirées qu'Antoine avait l'impression d'y reconnaître des signes de l'alphabet chinois. Il poursuivit son voyage sans rien trouver par terre ni apercevoir personne à aucune des fenêtres poussiéreuses, s'ouvrant sur des intérieurs sombres que nul ne semblait habiter, à coup sûr pas Isabelle. Une vitrine qui n'était pas entièrement dégarnie attira son attention. Le vent de l'abandon, avant de mourir, avait culbuté certains objets, dispersé quelques autres, découpages en papier de maisons, de domestiques, de chevaux qui, jetés dans les flammes, étaient censés subvenir, dans l'au-delà, à tous les besoins du défunt, comme les faux billets de banque qui, consumés par le feu, pouvaient être éparpillés sur le chemin du cimetière pour apaiser les mauvais esprits que faisaient fuir trois tambours, deux cymbales et le cor unique, alors que le parfum de petits paquets d'encens rendait les dieux propices.

Antoine appuya sur la porte. Elle n'était pas fermée. Le magasin était vide. Au fond, une sortie s'ouvrait sur un corridor qui aboutissait à un escalier rétréci dont les marches penchaient vers la rampe. Il inspecta les lieux et allait repartir. A ce moment précis, il entendit un pas au-dessus de sa tête et demeura immobile. Le fait d'avoir choisi ce quartier, cette ruelle, cette boutique, d'y avoir été guidé sans en être conscient, tout cela démontrait que le hasard lui était favorable, et pourtant la réussite était imprévisible comme le labyrinthe qu'il explorait s'avérait inextricable. Les indices étaient contradictoires : c'est sans doute pour l'unique raison qu'il avait été sur le point de quitter le magasin d'amulettes, de fétiches et de porte-bonheur qu'on lui avait fait entendre un bruit de pas. Etait-ce Isabelle ? L'avait-elle fait exprès ou par inadvertance ? Impossible de prévoir la réponse. Si quelqu'un se trouvait là-haut, et si c'était elle, il n'avait qu'à lui adresser la parole et l'appeler par son nom. Il faillit crier : « Isabelle », s'empêcha de le faire et monta l'escalier.

L'étage était démeublé, dépeuplé. Les araignées du rez-de-chaussée étaient venues mourir dans les coins des fenêtres du premier. Le jour était gris, le silence complet. Antoine parcourut les trois pièces, se faufilant derrière les portes comme si quelqu'un pouvait s'y cacher, mais personne nulle part. Il avait dû se tromper en croyant entendre un pas de femme, car à présent il se l'avouait : c'était bien une démarche féminine. Il n'avait encore jamais discerné celle d'Isabelle, et pourtant le bruit qui l'avait fait frémir lui était apparu à tel point habituel qu'il avait plus que l'impression, la certitude de le reconnaître. Rien n'expliquait sa disparition, elle ne pouvait s'évader qu'en descendant l'escalier qu'il n'avait pas quitté du regard. Il refit un tour de l'étage pour se convaincre qu'il n'existait aucun autre moyen de s'éloigner sinon en sautant par une des fenêtres qu'il essaya d'ouvrir : toutes étaient closes. Soudain il se rendit compte que ce problème était sans importance : même si la fille avait fui en passant par l'unique cheminée, d'autant plus que celle-ci semblait froide depuis des années, bref, si Isabelle était magicienne, et même sorcière, tout cela, pour l'instant, ne présentait aucun intérêt. Il commettait une sottise en se posant des questions pareilles, à moins que ce ne fût elle-même qui l'eût détourné de la grande découverte qu'il venait de faire : au moment où il était sur le point de s'en aller, elle s'était déplacée au-dessus de sa tête parce qu'elle tenait à ne pas le perdre. Que ce soit pour lui jouer des tours et se moquer de lui ou pour garder sa compagnie n'importait guère, ce qui comptait c'est qu'elle était consciente de sa présence, par conséquent, l'avait reconnu comme lui l'avait fait. Donc ils se connaissaient. Depuis quand ? Lui l'ignorait mais elle le savait, sans doute ou peut-être, et quelle que soit la réponse, maintenant il pouvait être certain de finir par l'apprendre et, après avoir deviné le bruit de ses pas, entendre sa voix à lui adressée. Le hasard auquel il s'était fié depuis leur rencontre sur le bateau et qui ne l'avait pas trahi, c'était la jeune fille elle-même, et si depuis il l'avait toujours retrouvée, ce n'était pas sa chance, la chance s'appelait Isabelle qui, à ce moment même, se tenait assez près pour être retrouvée, assez loin pour ne pas être rejointe.

Il se rapprocha d'une fenêtre, l'ouvrit, regarda dehors. Isabelle ne se trouvait nulle part. Un Chinois de petite taille contemplait talismans et amulettes de la devanture qu'avait étudiée Antoine. Il n'avait pas dû entendre le grincement de la croisée et n'avait pas levé la tête. Peut-être prévoyait-il un deuil dans sa famille et examinait-il les découpages de papier argent ou les instruments à percussion. Antoine recula, ferma prudemment la fenêtre, descendit l'escalier.

Le jour baissait. La boutique était toujours déserte. Il n'y avait plus personne devant la vitrine. Antoine gagna la porte sur la pointe des pieds. Elle s'ouvrit d'elle-même. Le Chinois, apparu de nouveau, la referma en s'inclinant pour témoigner de son respect. Tous deux continuèrent de se taire comme si chacun s'attendait à ce que l'autre parle le premier. Il veut que j'explique ce que je faisais là-dedans, pensa Antoine. Si je lui disais que je la poursuivais ? Il n'y croirait jamais et tant pis. Par contre, par contre. S'il ne dit rien, s'il semble gêné, s'il se borne à sourire, c'est qu'il est au courant et l'avoue. Il se répliqua aussitôt que son interlocuteur silencieux, tout en étant informé de son aventure, pouvait croire qu'Antoine n'avait aucune idée de la présence de la jeune fille dans le magasin et s'y était introduit pour une autre raison. Il était donc nécessaire de ne pas éveiller ses soupçons, en lui faisant supposer que sa présence avait été découverte par hasard. Et si je lui disais subitement, se rétorqua Antoine, que j'ai trouvé la cachette d'Isabelle, si le nom d'Isabelle lui est familier, si je dis tout court : Isabelle, en scrutant son visage ? Il faillit le faire, garda le silence. Le Chinois attendit un moment, fit un geste dont, dans sa langue, le sens devait être particulier mais qui échappa à Antoine, ne semblant pas se rapporter à Isabelle. Puis il dit en anglais :

— Chinatown est une ville intéressante.

Pas un quartier mais une ville, comme si San Francisco n'existait pas.

Antoine sourit en hochant la tête de haut en bas.

Le Chinois sourit à son tour et dit :

— Vous ne la connaissez pas encore.

Antoine haussa les épaules tout en se demandant si la phrase — mi-question, mi-constatation — se rapportait à ses flâneries de touriste ou à sa poursuite d'Isabelle.

Le petit homme hocha la tête à son tour.

— Si je peux vous être utile, dit-il sans terminer son offre.

Elle pouvait signifier trente-six choses. Antoine en soupesa quelques-unes : « pour retrouver Isabelle » ou « pour revoir Isabelle » ou, en supposant que l'autre ignorait le nom, « pour faire sa connaissance ». Toutes étaient plausibles, aucune n'était certaine, et il n'osa en faire usage, se bornant à balbutier :

— Peut-être.

C'était la première fois qu'il faisait entendre sa voix, et le Chinois lui offrit la visite des maisons de jeux, comme du mah-jong ou du *pai-gow* dont Antoine demanda le sens. Il apprit qu'il s'agissait des dominos et fit non de la tête. L'autre lui suggéra le *fan-t'an*, expliqua :

— Vous videz un bol de flageolets que vous mettez de côté quatre par quatre et pariez s'il en restera un nombre pair ou impair.

Antoine semblait déçu.

— Il y a aussi les fumeries d'opium, dit le Chinois.

— Peut-être, dit Antoine, courant la chance.

Ils traversèrent la ruelle, s'arrêtèrent devant une enseigne chinoise, accompagnée d'une pancarte anglaise, annonçant un restaurant. A l'intérieur, quelques chaises et trois tables avec des nappes et des couverts poussiéreux. Le Chinois alla au fond de la salle, poussa une porte qui donnait sur l'escalier d'une cave. Le couloir était mal éclairé, le silence complet. On entrevoyait des niches où brûlaient des lampes minuscules dont la flamme tremblotait. Etendu sur une couche, la tête appuyée sur un rouleau, un homme fumait une pipe dont le tuyau était long et le fourneau exigu. Il ne se rendit pas compte de la présence d'Antoine. L'homme était jeune, blond et souriait doucement. Une odeur âcre flottait autour de sa tête.

— Si l'opium vous déplaît, dit le Chinois, que

pensez-vous des relations sexuelles commerciales ?

Antoine fit semblant de n'avoir pas saisi la question, s'en posa une lui-même. Son compagnon croyait-il que, pénétrant dans la boutique déserte, Antoine espérait découvrir une maison de débauche ? Ou serait-ce possible qu'il ait fait allusion à une jeune femme aux cheveux châtain clair dont il s'abstenait d'indiquer le nom ?

Ils avaient quitté la ruelle, tourné dans une voie plus large. Le crépuscule envahissait la ville. Il y avait toujours davantage de passants, et leur nombre ainsi que la tombée du jour rendaient de plus en plus difficile de discerner les visages. Antoine les scrutait tout en observant son accompagnateur qui, de temps à autre, disait quelque chose à voix basse, parfois en chinois, plus souvent en anglais, ayant l'air de s'adresser à lui-même.

— On ne doit pas, dit-il, blasphémer contre les dieux en qui on n'a pas de foi : il se peut qu'il y en ait qui soient susceptibles de vous rendre service.

Il sembla poursuivre sa phrase, mais dans sa langue. Antoine ne disait rien. Son compagnon ajouta en anglais :

— Les découpages en papier étaient très utiles. Les cimetières chrétiens nous étaient interdits. Nous avions les nôtres. On allait balayer les tombeaux avec des branches de saule pour chasser les mauvais esprits.

Antoine écoutait, le regard sur les cheveux des passants, tous noirs et plats. Le Chinois se taisait, suivant des yeux un ancien souvenir. Il hocha même la tête.

— Un mort, on le déterrait, finit-il par dire, et on envoyait les os en Chine pour les ensevelir. C'était moins coûteux que l'envoi du corps tout entier.

Il s'interrompit, examina deux jeunes filles qui venaient à leur rencontre. Elles devaient avoir seize ans et, avec leurs paupières enflées et leurs sourcils hauts et minces, se ressemblaient : peut-être étaient-elles sœurs.

— Rapports commerciaux ? s'enquit le Chinois, mi-question, mi-suggestion, et il tourna la tête pour suivre des yeux les deux passantes.

Antoine étudiait la foule devant lui. Il y avait peu de femmes, des hommes se pressaient devant les lumières d'une salle de spectacle.

— C'est notre théâtre, dit le guide.

Rien ne pouvait sembler plus différent. Les gens entraient et sortaient, s'entretenaient, allumaient des cigarettes.

— Le spectacle commence à quelle heure ? s'informa Antoine.

— Ça dépend de la pièce, dit le Chinois. C'est peut-être commencé depuis ce matin ou depuis plusieurs jours.

La salle était pleine. Des vendeurs offraient des sucreries, des friandises et des graines de melon. Sur une plate-forme, une quinzaine d'acteurs faisaient face à la salle. Ils portaient des costumes comme personne n'en avait jamais arboré nulle part ; de faux vieillards affublés de barbes artificielles et de chaussures aux semelles massives courtisaient ou menaçaient de mort des garçons travestis, maquillés comme de belles jeunes filles dont ils contrefaisaient les gestes agiles et la voix douce et flûtée. Ils se déplaçaient sur la scène, modifiant le rythme de leurs mouvements et leur attribuant une signification symbolique que les spectateurs interprétaient d'emblée mais dont le sens échappait à Antoine, tout comme la musique l'abasourdissait. Il avança pour mieux voir et entendre, se retourna pour prêter attention au public et, tout d'un coup, se rendit compte que son accompagnateur avait disparu. S'était-il sauvé, mais pourquoi ? Antoine se fraya un passage, fixant ses regards sur tous ceux qu'il croisait. Plusieurs avaient dépassé un certain âge, il y en avait qui portaient une barbe maigre, tous les autres se ressemblaient. Il avait beau sortir dans la rue, regagner la salle, ressortir, les yeux fixés sur un écoulement de visages, ceux-ci restaient tous différents, tous semblables, tous méconnaissables. Il n'y avait qu'une seule chance : s'exposer aux regards, espérer être aperçu, accosté par celui qui a pu s'éloigner pour rendre service à moi ou à Isabelle, se disait Antoine en s'interrompant au milieu d'une conjecture, emberlificoté qu'il était dans une foule de possibilités aussi dense que celle du théâtre qu'il venait de quitter.

Il regagna la grande avenue qui traversait Chinatown. La nuit était descendue. Les réverbères, les feux électriques aux devantures s'étaient allumés. Habitants et visiteurs se pressaient devant les vitrines, emplissaient les boutiques. Les rues étaient peuplées d'un bourdonnement de voix et, de temps à autre, à un carrefour, d'un grincement de funiculaire.

Antoine atteignit un croisement, s'arrêta devant une maison qui ressemblait au central téléphonique, sauf qu'elle était plus vaste; des lumières verticales, horizontales, courbes, couraient le long des murs et des toits. C'était peut-être une pagode, d'autant plus que face à elle se dressait une église catholique, sauf que, du premier de ses quatre toits, descendait une enseigne lumineuse annonçant un musée de figures de cire.

Antoine commença par entrer, se demanda aussitôt pour quelle raison il le faisait, se répondit : « Peut-être », décida qu'il avait obéi au hasard comme il en avait pris l'habitude.

Il y avait moins de bruit que dehors. Les visiteurs, qui n'étaient pas nombreux et se déplaçaient sur la pointe des pieds, se servaient de leur index plus souvent que de leur voix pour attirer l'attention des enfants, assez nombreux, qui étaient les seuls à lancer des questions à tue-tête. Ils étaient accompagnés de leurs parents, la mère plus souvent que le père, plus encore la grand-mère. On apercevait aussi des familles entières, dont certaines fort nombreuses, et quelques jeunes couples qui semblaient moins intéressés par le spectacle que par des coins obscurs où, à l'abri des curieux, ils pouvaient échanger des confidences, des câlineries et, si possible, des étreintes, et tant pis s'ils étaient surveillés par des personnages de cire.

Et pourtant ceux-ci étaient aux aguets, leurs pupilles mobiles braquées sur les visiteurs, tels ces hommes, vêtus somptueusement, les sourcils, la moustache et la barbe d'un blanc étincelant ou d'un noir ténébreux. D'autres étaient plus discrets, par exemple une belle jeune femme, habillée de soies multicolores, couronnée d'une lourde coiffe, qui était reine. Il y avait d'autres groupes qui attiraient plus de monde : bourreaux et victimes se figeaient dans les gestes imposés par les tortures chinoises, et, affublées comme leurs arrière-grands-parents, des figures entraînaient en mouvements immobiles, en le portant sur leur tête, le protecteur de Chinatown, le dragon de la parade du Nouvel An.

Antoine se faufila à travers le musée, s'efforçant d'éviter la curiosité des visiteurs et les scrutant dans l'espoir de la rencontre. Soudain il s'aperçut qu'il observait de moins en moins les vivants, ses yeux s'attachant aux personnages. Pas les plus importants, posés au premier plan, mais ceux du fond, vêtus modestement, de préférence penchés de côté ou les yeux fixés par terre et, bien entendu, les femmes. Il savait que personne n'aurait eu l'adresse d'imiter une figure de cire et de demeurer perpétuellement immobile. Il se l'est répété à plus d'une reprise pour se répondre que la capacité de se figer n'aurait pas été plus surprenante que les apparitions d'Isabelle et ses disparitions. Et il s'entêtait à guetter les simulacres pour s'apercevoir aussitôt de la couleur des cheveux, jamais clairs, jamais châtains, et s'ils l'étaient c'est qu'il s'agissait d'une métisse ou qu'elle s'était teint la chevelure, sans oublier les yeux qui n'avaient ni l'angle ni l'inclinaison nécessaires. Il baissait les paupières, s'efforçait de rafraîchir sa mémoire en considérant le souvenir d'Isabelle, et se rendait compte que son visage légèrement tourné de côté demeurait toujours immobile et gardait la même expression qu'il pouvait décrire longuement, à tel point il était divers, contradictoire et constant. Antoine rouvrait les yeux, recommençait à examiner les têtes de cire et, de temps à autre, se retournait subitement pour jeter un coup d'œil derrière son dos. Le jeu restait puéril, Isabelle était plus maligne que lui. Lorsqu'il comprit qu'il voyait les groupes pour la deuxième fois, il sortit. Il se sentait déçu : le musée de figures aurait convenu parfaitement aux retrouvailles.

Je viens de relire mon échantillonnage. Qu'est-ce que j'ai essayé de montrer ? Antoine cherchant et trouvant Isabelle, bien entendu à San Francisco, puisque c'est là que ça doit se passer. J'ai choisi Chinatown dont j'avais lu suffisamment de descriptions. En ce qui concerne Antoine, pas de problèmes : pour l'instant, il est obéissant. De temps à autre, il donne l'impression de m'imiter, et je m'en veux comme si je m'obstinais à le portraiturer sans quitter du regard mon reflet dans un miroir. Et Isabelle ? C'est plus complexe. Toutes les suppositions d'Antoine à son égard sont incorrectes. Elle a une certaine démarche, une certaine habitude de vous regarder par-dessus l'épaule, en particulier de trois quarts, un lent sourire dont vous ne savez pas s'il s'adresse à vous, à un autre ou à un souvenir d'adolescence, et je ferais mieux de ne pas me remettre à la décrire, mais je croyais qu'elle n'aurait pas été capable de se faire passer pour une Chinoise, pas même la plus jeune, la plus belle, ni d'engager un entretien avec Antoine. J'ai fait de mon mieux pour la promener sur l'embarcadère ou, à bord d'un bateau, fixer ses yeux sur une volée de mouettes, mais de là à la décrire se liant avec quiconque, j'en suis incapable comme elle l'est elle-même. Bref, Antoine pense et parle trop, Isabelle garde toutes sortes de silences, et je suis tenté de conclure que ces deux personnages sont aussi défavorables à mes projets d'écriture que les nouvelles de la presse. Je fais donc mes adieux à Chinatown et reprends mon histoire.

Dehors il y avait autant de lumière que de monde et de bruit. Personne n'attendait à la sortie. Antoine dévisagea les passants : ils continuaient à se ressembler. Un funiculaire s'arrêta au carrefour, rempli d'Américains blancs, habitant d'autres quartiers, les hommes cravatés, les femmes coiffées et gantées qui observaient imperturbablement la cité exotique. Antoine aperçut une jeune fille qui passa devant lui, courant vers la voiture. Il n'en croyait pas ses yeux, et pourtant c'était bien elle. Le souffle coupé, il perdit quelques instants avant de se précipiter à la suite de l'imprévisible apparition. Alors que le tramway venait de démarrer, elle sauta sur le marchepied. Antoine arriva trop tard pour rattraper le funiculaire qui escaladait une rue abrupte. Hors d'haleine, il se demanda qui était responsable de cette rencontre et de l'échec, lui-même ou Isabelle, disparue de ses yeux au moment où, dans une taverne, au bord du lac Michigan, je regardais la serveuse, un mélange d'Indienne, d'Irlandaise et de Française, qui, penchée vers notre table, nous disait, à Nathan et à moi :

— J'ai entendu Hitler à la radio. Nous avons des Allemands par ici, même eux n'ont pu tout comprendre tellement il était excité. Eh bien, il a dit qu'il ne voulait pas la guerre et qu'il a quelque chose de nouveau qui va tuer tout le monde.

Nous venions de nous arrêter à Gary, une des cités métallurgiques, et nous cherchions à nous renseigner au sujet de l'approche de la guerre. La jeune femme n'en savait pas davantage; installé à la caisse, son patron, un Grec d'origine, a crié :

— Il n'y aura pas de guerre. Ils donneront à Hitler tout ce qu'il veut. A quoi bon la guerre, le poison, les épidémies dans tous les pays pour une bande de terre ?

Il avait dû entendre l'officier de Fortinbras, qui s'en allait à la guerre, dire à Hamlet qu'elle avait pour enjeu un petit lopin de terre. Je me suis demandé pour quelle raison Shakespeare parlait de Pologne au lieu de Tchécoslovaquie, et j'ai décidé que, du haut de trois siècles d'histoire, il voyait mieux l'avenir que nous, notre présent.

A tout hasard, j'ai cherché un journal. J'en ai vu un, accroché dans un kiosque. A la une, une grande tête de Hitler hurlait, bouche bée. Quelqu'un avait découpé le papier entre les lèvres et écrit à côté : « Attrape-mouches moderne. »

Nous avons interrogé des gens dans la rue.

Nos questions n'étonnaient personne. Un marchand de pneus hocha la tête.

— Ça a l'air sérieux, dit-il. Ça pourrait bien commencer demain.

J'ai fini par trouver le *New York Times* pour lire à la première page : « Plus de 500 000 hommes ont été mobilisés aujourd'hui en France. Le nouvel appel a porté le nombre d'hommes à près d'un million. » La durée de notre voyage devenait incertaine.

Les villes se succédaient le long du lac Michigan, toujours plus proche. Les usines se pressaient cheminée à cheminée. A travers leurs fumées, c'est la France que je voyais, c'est-à-dire Paris, au juste la place Adolphe-Chérioux, à proprement parler, du haut d'un septième étage où je vivais, la houle des toits gris au pied des clochers et des tours, jusqu'à l'horizon caché derrière les collines et les bois qui n'avaient pas bougé depuis ma naissance et qui pouvaient sombrer le lendemain matin. 1938 n'était pas une bonne année.

J'ai pensé à celle qui l'avait précédée de deux siècles. Une épidémie de variole avait emporté la moitié de la tribu cherokee. A en croire les guérisseurs, c'était une conséquence de la colère divine, provoquée par les crimes que commettaient les garçons et les filles qui violaient les anciennes lois du mariage en se retrouvant dans les champs pour danser et pécher, et comme ils le faisaient la nuit, c'est la nuit qu'il fallait lutter contre la maladie en forçant les pécheurs malades à quitter la maison et rester dehors pour faire descendre la température, sans quoi ils risquaient de mourir. A chaque visite, les guérisseurs arrosaient d'eau froide la poitrine des victimes, agitant leurs calebasses remplies de cailloux, et chantaient des airs sacrés. Si l'état s'aggravait, la personne était plongée dans l'eau glaciale d'un torrent de montagne. Elle mourait instantanément. Plus il y avait de pénitences, plus les dieux demeuraient inflexibles, et les chamans détruisaient les objets sacrés dont ils s'étaient servis, les croyant souillés. Nombreux étaient les Cherokees, guéris mais défigurés, qui se donnaient la mort d'un coup de couteau ou d'un coup de fusil, ou bien se précipitaient dans le feu. Cela se passait en 1738.

Nous roulions à travers des banlieues misérables. C'était 1938. C'était Chicago. Les passants parlaient polonais, les passants parlaient tchèque. Ils étaient voisins dans cette ville comme ils l'étaient en Europe. Je me suis demandé si les uns avaient jamais entendu parler de Fortinbras et de sa campagne de Pologne, si les autres s'entretenaient du discours de Hitler qu'ils avaient entendu à la radio. Le jour tombait qui était peut-être le dernier jour de paix.

J'ai beaucoup rêvé cette nuit. J'ai fait de mauvais rêves. Les Iroquois estimaient dangereux de laisser un grand nombre de rêves, bons ou mauvais, s'accumuler à l'intérieur de soi-même, mais je n'étais pas Iroquois. J'ai regretté d'avoir oublié les songes avant de me réveiller et de courir aux nouvelles. Le journal annonçait en gros caractères : « Ne céderai pas sur problème tchèque, affirme Hitler. » Et, au-dessous : « Les valeurs au plus bas depuis trois mois vu danger de guerre. » Tout croulait, les devises étrangères chutaient, mais, à Chicago même et partout ailleurs, le prix du blé montait. On sentait le goût de la guerre dans la bouche.

— Oh ! c'est terrible, dit une ménagère d'une cinquantaine d'années à qui je n'avais rien demandé, mais qui avait dû voir le journal dans mes mains. J'espère qu'il n'y aura pas de guerre.

Elle attendit que je réagisse et, n'entendant rien, poursuivit :

— Mon frère y a pris part la dernière fois. Et j'ai dit à mon garçon — il a dix-neuf ans : « Tu ne vas pas traverser l'océan. »

Elle avait élevé la voix, sans doute pour attirer l'attention de son fils, mais il a gardé le silence.

Un peintre en bâtiment travaillait près d'une fenêtre ouverte par laquelle on entendait la radio. J'ai demandé s'il y avait des nouvelles. Il a dit :

— Ils sont tous fous, bâtards de putain.

— Qui ça ?

— Le monde entier.

Il a considéré son pinceau avant de dire :

— J'ai un beau-frère, il est droguiste à Sioux-City. Il était là-bas avec la Black Hawk Division, la plus grande partie de la guerre. Savez-vous ce qu'il dit : « S'ils veulent m'avoir de nouveau, ils devront m'envoyer l'armée américaine tout entière pour me convaincre. »

Il a ri d'un rire sec.

Nous avons regagné la voiture, longé des maisons modestes, ralenti pour ramasser un journal, appris que le *Champlain*, qui avait quitté Le Havre une petite semaine plus tôt, devait être sur le point d'atteindre New York et je me suis demandé s'il allait me ramener en Europe pour réapprendre l'usage du canon de soixante-quinze.

Nathan a freiné. Devant nous, Armour et Cie, 47 hectares de surface, 10 000 travailleurs, une usine. Comme chez Ford, la chaîne. Suspendus la tête en bas, cochons et veaux gigotaient, recevaient un minuscule coup de couteau, bringuebalaient encore, toujours emportés par le mouvement de la chaîne, trois pattes pliées et trémoussantes, la quatrième tendue au bout d'un crochet qui s'interrompait d'avancer pour les laisser saigner et se taire. Ils repartaient, tournant et retournant, les cochons à travers l'eau et le feu, les veaux pour être écorchés; ils étaient dépecés, passaient sur des tapis roulants, perdaient toute figure animale, devenaient tripes, viande, os, graisse, et plus loin encore, côtelettes, cuisses, escalopes.

Le long du parcours, des hommes, Blancs ou Noirs, chacun armé d'un couteau, grand ou petit, droit ou recourbé, en forme de scie ou d'alène. Le premier faisait un pas en avant pour trancher la jugulaire du cochon qu'amenait la chaîne, d'un tout petit coup de couteau qu'il répétait toutes les six secondes, dix fois par minute, six cents fois par heure. Comme lui, tous les autres faisaient un geste, un seul, toujours le même. L'un détachait le pied du porc de la cuisse, un autre équarrissait le lard, un troisième rangeait les morceaux sur le tapis roulant, tous posés dans le même sens, un quatrième, une brosse-arroseuse à la main, lavait les têtes des veaux dépiautés. Rien ne ressemblait davantage à la chaîne de Ford où les autos étaient assemblées que la chaîne d'Armour où les animaux étaient démontés pour ne former que des pièces détachées.

Après la tranchée, l'hôpital. L'odeur fade du sang, le vacarme des machines, les glapissements des cochons, et tout d'un coup un mur de verre qui protégeait une salle immense dont l'air était filtré et où, au milieu du silence, des femmes en tenue d'infirmières enveloppaient de minces tranches de lard dans des feuilles de papier parcheminé. Les troupeaux de visiteurs s'écoulaient, fascinés par les meurtres collectifs, regrettant de n'avoir pas été admis dans la salle d'exécution du gros bétail; dehors, la radio, les journaux ne s'interrompaient pas de parler de la guerre inévitable, la trêve depuis la précédente ayant à peine vingt ans, l'âge le plus courant et le plus honorable pour tomber au champ d'abattoir.

Nous avons quitté Chicago. Je conduisais. Les informations étaient les mêmes. Le *Normandie* approchait de New York. Grâce à lui, j'étais certain de traverser l'Atlantique et de rentrer en France plus vite qu'avec tout autre bateau pour gagner, au château de Vincennes, le dépôt de mon bataillon, au lieu de découvrir un nouvel océan, une nouvelle ville que j'éprouvais le besoin de rencontrer plus que n'importe quelle autre : San Francisco, qu'Antoine apprenait à connaître.

Il crut voir une lumière mais n'ouvrit pas les yeux. C'était le jour qui se levait. Il était étendu sur quelque chose de dur : de la pierre ou du bois. Il s'installa dans un champ d'ombre et prêta l'oreille. Tout près de lui, un oiseau interrogateur, le grincement d'une charrette, la réplique d'un oiseau répondeur. Il s'étira, allait se lever, mais ses jambes dormaient encore. Il força ses paupières à s'ouvrir un tout petit peu. Au-dessus de sa tête montait un rideau d'acier qui scintillait par endroits et ne ressemblait à rien. Il tâcha de tourner la tête, rencontra une salopette et deux robes de mandarins accrochées à une corde à linge devant une fenêtre. Sur le rebord, dans des bols bleus, poussaient de grands lis blancs. C'est là que se tenait le premier des oiseaux : à présent, il se taisait. A côté de la fenêtre, il y avait un balcon où pendaient des lanternes chinoises éteintes mais éclairées de l'extérieur par le jour qui ne s'interrompait pas de poindre.

L'oiseau interrogateur étendit les ailes, lança une phrase, et Antoine, comme s'il l'avait comprise, se leva aussitôt, se disant que, depuis la veille, il n'avait toujours pas quitté Chinatown.

Le rideau métallique qu'il avait aperçu formait le bas de l'énorme statue d'un homme vêtu d'acier inoxydable dont la tête, faite de granit rose, était tournée vers l'Est et contemplait, par-dessus le Pacifique, son pays : la Chine, et lui s'appelait Sun Yat-sen. Il avait l'air calme, attentif; la main gauche posée sur la droite abritait, entre le pouce et l'index, le deuxième des oiseaux loquaces. Il ne dit rien, mais Antoine, déjà debout, tout d'un coup se rendit compte qu'il se tenait à quelques dizaines de mètres de l'endroit où, sous ses yeux, Isabelle lui avait échappé, par mégarde ou par indifférence, dans le funiculaire en marche.

Il n'avait qu'à recommencer les recherches. Il se demanda s'il devait visiter de nouveau le central téléphonique ou le musée de figures de cire et quitta le jardin où il avait dû passer la nuit et dormir, sans être certain d'avoir rêvé ou d'être encore en train de le faire.

Il semblait avoir changé de siècle. C'est moi qui l'avais repoussé dans le dix-neuvième. La ville était de mauvaise compagnie, d'une humeur difficile, tumultueuse, turbulente, poissarde, et une convergence avec Isabelle semblait de plus en plus surprenante et naturelle simultanément : ses vêtements et ses gestes, à mesure qu'on reculait dans le temps, lui ressemblaient toujours davantage.

Les maisons et les rues n'étaient pas pareilles à celles qu'Antoine avait déjà vues, les ruelles moins encore. Elles étaient mal pavées, les trottoirs faits de planches qui plongeaient dans la boue ou le sable, les lumières rares, sauf à l'entrée des lieux de crime, des lieux de débauche. C'était le grand port, situé au milieu du monde, c'est là que s'arrêtaient les bateaux de cent soixante-quinze compagnies de navigation, et chaque marin qui sautait à terre se servait d'une langue différente : né à Cythère, du grec, dans l'île de Sein, du breton, dans les îles Orcades, de l'écossais, et s'il avait grandi dans les îles Tuamotu ou Hokkaïdo, il jasait et jurait en polynésien ou en japonais. Les navires se vidaient, les équipages jetaient l'ancre dans les mauvais lieux pour gueuler, s'engueuler dans cent soixante-quinze langues. Il y avait aussi d'autres visiteurs, ceux qui avaient toujours conversé en américain ou l'avaient appris en lavant les sables des rivières de Californie, espérant y trouver quelques paillettes d'or et qui venaient à San Francisco, comme les matelots au long cours, échanger quelques mois de solitude contre quelques heures de whisky et de bière, de maisons de jeux et de tolérance dans le quartier de leurs rêves : la Côte barbaresque.

Devant l'entrée d'un dancing, portant le nom de la ville de Seattle, un marin qui tenait à la main une clé arrêta Antoine pour se plaindre dans une langue mi-obscure mi-anglaise : il avait dansé la veille avec une jeune entraîneuse. Elle lui avait donné rendez-vous dans sa chambre, le travail terminé, et vendu la clé qu'il avait passé la nuit à essayer dans toutes les serrures : elle n'en ouvrait aucune.

Antoine courut d'autres bals. Chacun offrait une dizaine ou une demi-centaine de femmes. Les plus jeunes devaient avoir quatorze ans, quelques-unes même douze, leurs aînées étaient efflanquées ou bouffies, manquaient de cheveux et de dents, mais toutes exerçaient le métier de prostituée et portaient le nom de jolies serveuses. Je poussais Antoine de l'épaule, il les scrutait l'une après l'autre comme il l'avait fait au musée de figures de cire, se disant que toutes se ressemblaient grâce à leur déguisement commun qui offrait ainsi une espèce de refuge : sous les traits et les fringues d'une racoleuse, comment reconnaître Isabelle ?

A deux ou trois reprises, il faillit faire fausse route : il y avait des ressemblances illusoires, et chaque fois qu'il apercevait un visage de trois quarts ou qu'une tête se tournait vers lui par-dessus l'épaule, il flottait dans l'incertitude, d'autant plus que, contrairement à Isabelle, les autres étaient vêtues à la légère. Quelquefois se faisait plus violente la déchirure qu'Antoine subissait, horrifié à l'idée de la prendre pour une putain et tenté en même temps d'envisager une telle éventualité. Il finissait par surmonter ses soupçons, admettant qu'aucune ne ressemblait en rien à celle qu'il cherchait, et il changeait de bal pour reprendre sa quête.

Il y en avait un où elles étaient encore plus nombreuses qu'ailleurs et choisies avec plus de recherche. Il en aperçut une qui l'aurait fait hésiter plus encore que les autres si elle n'avait été brune — il s'assura que c'était sa couleur naturelle — et il eut la surprise de voir un homme hirsute et barbu jeter quelques sous au serveur qui l'indiqua d'un geste à la fille; elle s'approcha et se laissa déshabiller par le chercheur d'or. Antoine était sur le point d'intervenir, mais autour de lui les gens se bornèrent à lancer un coup d'œil sur la brunette déjà nue, quelques-uns ne s'étaient même pas retournés pour la voir, le barbu sembla déçu, la trouvant maigrelette, et il s'éloigna sans même palper son soutien-gorge. Elle se rhabilla expertement, ingénue comme une jeune fille qui se nippe enfermée dans sa chambre. Antoine retrouva du regard le même porteur de barbe, en train de dévêtir une femme plus épaisse, et, à côté d'eux, un autre couple qui prenait du bon temps de la même manière, sauf qu'il la chatouillait et qu'elle riait à ventre déboutonné. Une heure plus tard, Antoine savait que, moyennant une somme modeste, tout client pouvait mettre à nu toute entraîneuse de son choix; les plus jeunes, les plus jolies étaient dénudées chaque nuit, certaines à plusieurs reprises. Une femme qui était décidée à ne laisser personne la toucher ne pourrait donc se dissimuler parmi les autres. Par excès de prudence, Antoine prit soin de les examiner toutes pour se convaincre qu'aucune n'était celle qu'il cherchait, et il quitta le bal où l'orchestre jouait encore, et où des hommes qui avaient survécu aux cyclones du Pacifique, aux tempêtes de neige de l'Alaska, dévêtaient des femmes dont le corps devait être brûlant.

Dehors, il faisait une nuit qui n'était pas la même que la veille. Les passants étaient si nombreux qu'Antoine n'avait pas le temps de les dévisager à tour de rôle. Il traversa un triangle de voies qu'on appelait l'Arpent du Diable, passant devant des bordels dont les lumières rouges signalaient la présence et les fenêtres ne portaient ni rideaux ni stores de façon qu'on puisse voir du trottoir tout ce qui advenait à l'intérieur. Les établissements étaient situés côte à côte; on y comptait un mort toutes les semaines.

Les femmes usées se tenaient disponibles dans l'encoignure des portes. Les hommes les croisaient sans les voir, sans jeter un coup d'œil sur la carte de visite que chacune leur tendait comme on tend la main pour leur confier prénom et adresse. Ils semblaient indécis face à la femme qui était érigée au milieu du trottoir, les toisant de haut en bas et les sommant d'accepter son carton où l'on pouvait lire : « Grande Mathilde, 85 kilos de passion noire. Heures : toutes les heures. Prix : 50 cents; trois pour un dollar. »

Antoine ne perdait pas son temps à scruter des visages de femmes qui, vues de loin, ne suggéraient aucune ressemblance, pas même un soupçon de ressemblance dans la forme d'une boucle d'oreille. Isabelle ne tenait de personne. Les empreintes de ses gestes et jusqu'aux nuances de ses vêtements et d'elle-même étaient inimitables.

Entourés de chuchoteurs à l'oreille, de tireurs par la manche, navigateurs et chercheurs de trésor, obnubilés par les lumières, par les appellations des lieux, envahissaient l'Alhambra, l'Hippodrome, les Folies, ou encore le Moulin Rouge, la Maison Blanche, sans savoir ce qu'ils allaient y trouver et persuadés qu'ils pouvaient s'en donner à cœur joie. Antoine continuait à faire confiance au hasard.

L'Eldorado était vaste, aux murs pendaient des tableaux de filles nues, à un bout, un orchestre jouait, les gens se pressaient autour des tables de jeux. Isabelle nulle part. Antoine allait sortir lorsqu'il découvrit plusieurs réduits isolés. Il s'approcha, entendit une sorte de grommellement, repoussa un morceau de tissu : à l'intérieur, sur une paillasse, une créature indolente couchait avec un homme. Dans le galetas voisin, une femme était seule et dormait. Antoine se dirigea vers la sortie.

Il revint sur ses pas, passa devant le saloon de Brown dit Changhai Brown, kidnappeur de matelots ou, comme on disait à San Francisco, changhaïeur, le voyage de Changhai étant devenu si risqué qu'il avait fini par signifier n'importe quel long voyage par la mer.

Antoine regagna la Pacific Street, se mêla à l'équipage d'un navire et s'engouffra dans un saloon que surplombaient trois étages d'une pension pour marins. Un Irlandais, un rouquin, se tenait derrière le comptoir. C'était le propriétaire, et tous les matelots le saluèrent, l'appelant par son sobriquet de Changhai Kelly et lui lançant des noms d'alcools qu'il leur versait aussitôt; eux et lui pouffaient de rire, le patron les mettant au défi de vider leur verre, et les plaisanteries reprenaient de plus en plus gogue-nardes dans un mélange d'anglais et de la langue du pays dont venait le navire et qu'Antoine ignorait.

Il se dit qu'il n'y avait que des hommes dans la salle et il allait repartir lorsqu'il vit qu'une porte s'ouvrait derrière le bar, et des femmes entrèrent, assez jeunes, moins jeunes ou peu jeunes, dont les jupes brèves voltigeaient et le corsage trahissait la poitrine. Elles étaient trois puis une demi-douzaine qui se mélangèrent aux buveurs, riant aux éclats comme pour insinuer qu'elles étaient chatouilleuses. D'un geste, Chan-ghai Kelly indiquait un homme, un des plus avinés, et une fille mettait la main à l'ouvrage. Il s'informait : « C'est combien ? », le rouquin criait : « Je vous l'offre. » Le marin avait du vent dans les voiles, sa nana le remorquait, et tous deux disparaissaient derrière l'horizon des bou-teilles.

Antoine observa le patron qui servait à boire et à baiser et surprit sur lui-même le coup d'œil de l'autre. Lui seul, pensa-t-il, n'était pas vêtu de noir ou de bleu marine, ne portait pas de casquette noire, bleue ou blanche. Le propriétaire devait avoir des soupçons à son égard. La salle commençait à se vider, la nichée de femmes s'était envolée, le sein ou la fesse de chacune dans la paume épaisse d'un homme : d'autres étaient venues les remplacer.

— *You thirsty ?* dit une voix.

Antoine tourna la tête. Changhai Kelly s'était approché de lui et attendait une réponse à sa question. Les derniers des matelots s'étaient interrompus de boire et le regardaient. Antoine se demanda s'il devait répondre en français, refuser de boire ou faire comme les autres et indiquer un nom de boisson, le calvados par exemple, introuvable à San Francisco. Il baissa les yeux, aperçut au pied du bar une trappe, se dit que, relevée, elle devait servir à descendre dans la cave. Le patron le surveillait toujours. Antoine glissa du regard sur le plancher : il y avait côte à côte trois trappes. Si elles s'ouvraient en s'abattant, celui qui se trouvait dessus, comme en ce moment un marin, un petit chauve, chutait en même temps.

— *It's free of charge*, dit Changhai Kelly d'une voix ni amène ni acrimonieuse, seulement attentive.

Antoine ne savait pas s'il était plus prudent de répondre ou de n'avoir pas l'air de comprendre. Tant de matelots fuyaient leur bateau dans le port de San Francisco, tant de capitaines y étaient abandonnés par leur équipage que le métier de racoleur était devenu un des plus courants sur la Côte barbaresque. Il ne suffisait pas d'enivrer des navigateurs pour les embarquer en secret à bord d'un navire en partance, il fallait encore tromper et combattre les concurrents. Johnny Devine — qu'on avait surnommé Changhai Chicken, Changhai le Poulet — avait remplacé le bras qu'il avait perdu par un crochet de fer et aimait voler des marins à d'autres racoleurs, par exemple, à Nikko, un Lapon qui, lui, préférait substituer dans les navires aux matelots soûls que les capitaines croyaient avoir engagés des mannequins et des cadavres. Changhai Kelly pouvait se méfier d'Antoine s'il le soupçonnait de travailler pour un rival.

— *What about the girls ?* s'informa Antoine, évitant de poser le pied sur une des trois trappes.

Le propriétaire expliqua qu'elles étaient gratuites mais toutes occupées, indiquant les quelques marins qui attendaient encore leur tour, et qu'elles allaient bientôt descendre. Antoine hésita : se trompait-il au sujet des trappes ? avait-il vu toutes les femmes ? et alors rien ne justifiait l'attente. Il dit qu'il allait revenir, salua le rouquin, se dirigea vers la sortie en évitant les trappes et osant tourner le dos à la compagnie. Personne ne dit rien.

Je pensai : dommage. Le saloon de Changhai Kelly n'avait servi à rien. Au lieu de fuir les trappes, Antoine aurait dû espérer Isabelle. Il était temps qu'elle le rejoigne.

Il reprit place devant le bar, face au miroir qui venait de paraître. Le patron s'était détourné, versant à boire à un marin, et Antoine en profita pour essayer de saisir dans la glace le reflet de la jeune fille.

C'était inimaginable. Isabelle, émanant de la nuit, de la brume, ne pouvait entrouvrir la porte et jeter, solitaire, curieuse, un coup d'œil à l'intérieur du saloon, réservé aux matelots et aux putes. Je viens donc de tomber sur le mot juste et me suis trompé de porte. Je reprends mon récit que j'abrège.

Antoine vit qu'une porte s'ouvrait derrière le bar, et des femmes entrèrent, assez jeunes, moins jeunes ou peu jeunes, dont la cadette regarda par-dessus l'épaule, sourit et dit :

— Je m'appelle Isabelle.

— Je vous l'offre ! tonna Changhai Kelly.

Rien n'allait plus, même si elle était brune ou blonde, effaçait son sourire et s'appelait autrement : les retrouvailles demeuraient impossibles.

Je quittai le saloon et cherchai Antoine.

Il errait, débouchait sur un square, s'arrêtait devant une statue de bronze haut placée qui

représentait un navire. Il s'appelait *Hispaniola*.
Antoine répéta le nom et le trouva familier. Il
ne l'avait jamais lu peint sur la proue d'un bateau,
mais l'avait rencontré dans un livre dont le nom
de l'auteur et le titre lui échappaient.

Moi, qui m'en souvenais et livrais à Antoine
en désordre des bribes de mémoire et de lecture,
j'éprouvai l'envie de lui apprendre que l'auteur
de *L'Ile au trésor* était encore, comme il l'écrivait,
« compagnon des marins, des ramoneurs et des
voleurs », que le square avec la statue du voilier
était désert, qu'aucun vieux matelot ne passait
avec des anneaux dans les oreilles, des favoris
frisés et la démarche crâneuse et malhabile d'un
loup de mer; à cet instant-là, j'écoutais Nathan
qui racontait que l'arbre le plus grand au monde
s'appelait séquoia et poussait en Californie. Il en
connaissait un si large que la route passait au
milieu du tronc.

— Les séquoias, a-t-il dit, sont vieux de
quelques dizaines de siècles et montent à plus de
cent cinquante mètres.

J'oubliais Stevenson et Antoine, m'imaginais
un arbre haut comme la moitié de la tour Eiffel
et demandais si nous allions le rencontrer sur
notre chemin. Nathan m'a dit qu'il poussait au
nord de San Francisco. J'ai voulu savoir si le
nom du séquoia était d'origine espagnole.

— Non, a-t-il répondu, on lui a donné le
nom d'un homme.

— Celui qui l'a découvert ?

— Non, un homme qui a découvert autre
chose.

— Il portait un nom de famille espagnol ?

— Pas espagnol. Cherokee.

J'ai essayé de deviner. Que pouvait découvrir
un Cherokee ? Une danse ? Une chasse ? Une
légende ?

Nathan a dit :

— Une écriture.

Séquoia — l'homme, pas l'arbre — ignorait ce terme. Il n'avait jamais fréquenté l'école, ne parlait pas anglais, ne pouvait donc lire ni écrire, deux mots qui n'existaient pas en cherokee, ne signifiant rien dans cette langue. Les Blancs, eux, savaient, étaient donc supérieurs. C'était une énigme. Comment transmettre par un signe un mot qui est un son sans jamais être un objet ? On peut le communiquer en se servant de la voix mais comment le faire à l'aide des doigts ? Il est possible d'exprimer la nature d'un sapin, d'un ours, d'une flèche — au moyen de son image dessinée. Mais la joie ? La stupéfaction ? Le désespoir ?

Un Blanc parvenait à le faire à n'importe quelle distance dans l'espace et le temps. Les Cherokees parlaient beaucoup de la puissance mystérieuse de ce qu'ils appelaient une « feuille parlante ». Il y en avait qui passaient des heures à scruter un morceau de papier blanc avec des lignes noires qui gardaient leur secret. Pour certains, c'était un don du Grand Esprit, pour quelques-uns, une découverte des Blancs. Les discussions étaient violentes. Séquoia voulait prouver à ses camarades que leur langue pouvait être transmise par des signes : il traçait sur une pierre plate une phrase, chaque mot représenté par une marque, et récitait le tout, provoquant un rire général.

Il poursuivit son entreprise, inventa des traits particuliers pour les mots cherokees, en nota plusieurs milliers, s'interrompit : il n'en était qu'au début de sa langue, la mémoire n'était pas à même de retenir tant de signes.

Personne ne venait à son aide. Il négligea sa ferme, sa famille, s'enferma dans une cabane qu'il avait construite lui-même, et ne fit que réfléchir et expérimenter. Il se rendit compte que chaque mot était démontable en plusieurs parties que l'on retrouvait à travers la langue, composées soit d'une voyelle seule, soit d'une voyelle précédée d'une consonne. C'est donc à chacun de ces éléments qui se répètent qu'on peut appliquer le même trait. Il se livra à de longs calculs pour établir qu'il existe en cherokee six voyelles et douze consonnes, soit soixante-douze combinaisons possibles. Certaines modifications en créent sept autres encore. Donc, un total de quatre-vingt-cinq. Séquoia décida d'inventer quatre-vingt-cinq signes, exprimant autant de syllabes, et de créer ainsi l'écriture syllabique cherokee.

Ce n'était guère facile. Le bruit courait de sa marotte. Les uns le prenaient pour un fou, les autres pour un sorcier. La foule s'amassait pour se moquer de lui ou pour l'injurier. On finit par brûler sa bicoque avec toutes ses écritures. Il la reconstruisit et poursuivit son travail.

Le hasard lui était quelquefois favorable. Il trouva un jour sur la route un morceau de papier qu'un passant blanc avait laissé tomber par terre. C'était un bout de journal anglais, et Séquoia y découvrit des lettres dont la forme était plus simple et plus claire que celle de certaines qu'il avait inventées, et il en fit usage. Il eut aussi l'idée d'acquérir un vieil abécédaire anglais. Sa bibliothèque consistait donc en ce bouquin d'occasion, un journal déchiré et sa tête. Bref, à lui tout seul, il inventa, au début du dernier siècle, l'écriture cherokee, comme des peuples antiques, depuis longtemps disparus, l'avaient fait il y a plusieurs millénaires, ainsi que d'autres qui survivent dans divers continents, les Akkadiens et les Hittites, les Ethiopiens, les Tamouls et les Tibétains.

J'ai demandé :

— Et ensuite ?

Nathan a hésité.

— Nous autres, Américains — je veux dire : nous autres, Blancs —, nos autorités se sont engagées à récompenser Séquoia pour sa découverte. On promit de lui faire don de cinq cents dollars. Au bout de six ans, il en a reçu cent cinquante.

— Et puis ?

— Il espérait qu'était vraie la légende au sujet d'un clan cherokee qui vivait, libre et tranquille, dans un pays inconnu. Le bruit courait que c'était dans la sierra mexicaine. Séquoia est parti à la recherche. Il a erré deux ans durant et, en 1843, il est mort dans le désert du Mexique, laissant à son peuple une écriture et son nom à un arbre.

Je m'imaginais le grand séquoia, dominant la route au nord de San Francisco, sans doute pas loin du camp minier où Stevenson et sa femme passaient leur lune de miel. L'île au Trésor n'était pas encore découverte, les pirates n'y avaient pas encore débarqué pour s'emparer de l'or qui y était caché, Jim Hawkins était trop jeune pour naviguer à bord du voilier *Hispaniola* dont Antoine contemplait la statue.

Trois hommes traversaient le square. Tous étaient d'un certain âge, vêtus confortablement, chacun s'appuyant sur une canne. Antoine les vit qui s'arrêtaient, se saluaient en détachant trois chapeaux de trois têtes, dont une chauve, et l'un d'eux frappa à une porte qui s'ouvrit aussitôt. Antoine jeta un coup d'œil sur la lumière rouge, allumée au-dessus de l'entrée, entendit une voix de femme criant :

— Mes petites, du monde !

Il entra à son tour.

Une femme vieillissante se tenait au pied de l'escalier. Un des trois hommes dit :

— Après vous, Madame Bertha.

Le salon se trouvait à côté. La maîtresse de maison indiqua des fauteuils. Une porte s'ouvrit. Les femmes étaient une vingtaine, la plupart jeunes et jolies, toutes portaient de longues chemises de nuit blanches, ornées de dentelles, des bonnets de velours rouge, des sandales de la même couleur. Elles s'assirent côte à côte sur un divan, face aux clients, et Mme Bertha les présenta en les nommant une à une. Lorsqu'elle dit : « Yvonne », en indiquant une des plus âgées, le visiteur chauve fit la moue, mais son voisin chuchota :

— *But she knows better.*

Pourtant, lui-même préféra Anunciación qui devait avoir quinze ans. Il la montra d'un coup de pouce à la propriétaire qui informa la petite que monsieur désirait l'entretenir en particulier et le couple se retira, elle le regard baissé, lui avec un coup d'œil pour ses compagnons. Antoine attendit que les deux autres messieurs fassent leur choix et montent à l'étage, feignit l'hésitation, demanda à Mme Bertha si elle parlait français. Elle s'excusa, désigna Yvonne. Il se tourna vers elle, s'informa :

— Française ?

— Française.

— Yvonne ?

Elle haussa une épaule.

— Alors, comment ?

Elle demeura indécise, finit par dire :

— Marie-Reine.

Il se renseigna prudemment :

— Pas d'autre Française ?

Il y en avait eu une mais elle avait pris sa retraite, chez elle, en Bourgogne.

Antoine demanda :

— Et Isabelle ?

— Nenni, dit-elle. Jamais d'Isabelle.

Je brusquai Antoine.

Il insista :

— Vous êtes certaine ? Jamais à San Francisco ?

Marie-Reine fit non de la tête. Il se trompait de nom ou elle protégeait Isabelle. Antoine se leva. La Française le suivit du regard et, au dernier moment, lui indiqua le chemin à suivre en sortant.

— Qui sait ? dit-elle, elle y est peut-être. Elles y sont près de trois cents.

Elle avait l'air amicale.

La nuit tombait sur la Côte barbaresque, les lumières rouges éclairaient les entrées de ce qu'on appelait les étables à vaches, faites de rangées de réduits, chacun se composant d'une réception et de ce qui portait le nom d' « atelier ». La première était meublée d'une banquette, d'un siège, et si l'occupante était Mexicaine, d'un autel avec l'image de la Vierge; l' « atelier » contenait un lit de fer, un lavabo, un poêle à pétrole avec une bouilloire d'eau chaude et une grande bouteille de phénol dont l'odeur l'emportait sur toutes les autres. Antoine suivit le couloir, s'arrêtant à chaque porte. Personne ne faisait attention à lui, quelquefois une femme jetait : « C'est occupé » ou « Attends ». Elles portaient toutes la même chemise de nuit blanche, un kimono et une jupe courte qui, au besoin, était soulevée. Aux murs étaient accrochés des chromos, des maximes morales et, au milieu d'une couronne de fleurs imprimées, un prénom féminin qu'Antoine lisait en premier lieu, sans même prêter attention au lit déglingué, souillé, avec de gros draps et, dans le bas, une toile cirée car, les nuits où ils étaient trop nombreux, les clients ne pouvaient se permettre de perdre du temps à se déchausser, à rien enlever sauf le chapeau : le décoiffage était obligatoire. Antoine glissa des yeux sur des douzaines de Mary, de Gladys, de Fanny, sans oublier les Carmen et les Juanita dont aucune, si elle se respectait, n'aurait jamais accepté de recevoir un client chapeauté. Le nom d'Isabelle n'était lisible nulle part, comme elle-même n'était pas présente, et pourtant Antoine se força à ouvrir toutes les portes, parcourir du regard tous les noms, tous les visages, toutes les Vierges. Il se demanda si elle aurait su se dissimuler au milieu de trois cents pareilles, si Marie-Reine s'était moquée de lui ou avait essayé de le fourvoyer pour protéger la jeune fille.

Je m'interrogeais à mon tour : pour quelle raison Antoine cherchait-il Isabelle dans les fonds de plus en plus bas de San Francisco ? Parce qu'elle y voyait sa meilleure cachette, persuadée qu'il ne l'aurait jamais soupçonnée de putasser ? Etait-il décidé de passer à la coupelle la ville tout entière, depuis la Cour des Miracles jusqu'à la Côte barbaresque, sans oublier un seul galetas, une seule cave ? J'en étais moi-même responsable dans la mesure où je l'avais incité à veiller sur Isabelle dont j'étais — dois-je dire amoureux ou jaloux ? l'un et l'autre sans doute, et craignais de la voir victime de trop d'admirateurs, comme elle l'avait toujours été, sans me rendre compte qu'au lieu de se conformer à mes désirs et se borner à la défendre à distance, Antoine prendrait feu pour elle comme tout le monde, et moi le premier.

Il entendit derrière lui une voix féminine :

— Avez-vous vu Jésus ?

Il se trouva encerclé par plusieurs femmes. Jupée jusqu'aux chevilles, corsetée, chapeautée, la Bande à Prières montait à l'assaut de la Côte barbaresque.

A cette heure de la nuit, les passants étaient rares. Un homme se détacha d'une porte cochère et dit à voix basse :

— Si vous voulez voir.

— Voir quoi ? dit Antoine, plein d'espoir.

L'autre posa un doigt sur la bouche et fit oui de la tête. Antoine le suivit qui tourna dans une allée, s'arrêta devant une lumière, dit :

— C'est un cirque. Aimez-vous les cirques ?

La salle était petite, pleine de gens qui échangeaient des plaisanteries et des rires autour d'une estrade sur laquelle une femme et un homme nus s'acquittaient consciencieusement de frôlements et d'intromissions. Le guide ne quittait pas Antoine des yeux comme pour s'assurer que le spectacle lui plaisait et, voyant qu'il passait son temps à étudier les visages autour de lui, l'emmena dans d'autres endroits où les hommes étaient remplacés par des chiens ou des boucs, suggéra :

— Venez voir Mme Gabrielle.

C'était, expliqua-t-il, plus passionnant qu'ailleurs : on y voyait une femme et un poney des îles Shetland.

Antoine s'éloigna, remonta une rue, aperçut un banc, s'installa, baissa les paupières, n'étant pas certain s'il allait dormir ou dormait déjà, d'autant plus qu'il entendait une langue imaginaire. Les yeux fermés, il dit quelques mots en français. Il n'y eut pas de réponse, mais il sentit des petits doigts qui effleuraient sa chaussure droite, et la petite voix posa une question qu'il ne comprit pas. Il ouvrit les yeux.

Le garçon était Chinois. Il devait avoir dix ans. D'un regard attentif, il étudiait les souliers d'Antoine, indiquant de l'index les taches et claquant la langue d'un air désapprobateur. Il se dit quelque chose à lui-même, tira de derrière son dos un carton, en sortit une brosse à dents, une brosse à cheveux, une boîte à conserve et plusieurs chiffons, posa sur son genou gauche le pied droit d'Antoine, décrassa, torcha, brossa, et déjà le soleil se levait au-dessus des chaussures.

Antoine se retrouva à l'endroit où, dans mon demi-sommeil, il s'était embarqué avec Stevenson, Jim Hawkins et une bande de pirates, sur l'*Hispaniola*. Il décida qu'il avait plus de chance dans les maisons de jeux que dans celles de tolérance et pénétra dans Bella Union. Deux femmes jouaient de la harpe, deux autres de la guitare, la cinquième d'une flûte, et un homme chantait :

Ne te fera jamais défaut ta sainte mère
Tant que ne sera morte et élevée au ciel.

C'est là que jadis travaillait une belle Française, Simone Jules, la première femme de la ville à tenir le jeu. Tous les joueurs faisaient foule autour d'elle : les femmes étaient encore rares à San Francisco. Le succès de Bella Union avait été tel que les autres cercles avaient suivi son exemple, et des mains féminines s'étaient chargées de lancer la boule d'ivoire et de jouer la fortune des autres.

Il n'était pas facile de s'approcher des tables : les passions étaient tellement plus violentes que dans les maisons de complaisance où il suffisait d'aller vite en besogne pour se sentir apaisé. Ici le désir exaucé ne faisait qu'exciter davantage, et tant pis si coup sur coup on pouvait faire fortune ou faillite. On jouait n'importe quoi à condition que le hasard se décide. Il n'y avait qu'à observer un ponte dont les regards glissaient du visage de la banquière à la dame et à l'as qu'elle venait de lui donner à découvert et dont la somme faisait vingt et un, l'expression des joueurs qui se mordaient les lèvres ou fermaient les yeux et interrogeaient le destin avant de répondre à celle qui, un paquet de cartes dans sa main gauche, demandait à chacun s'il désirait que la première carte qu'elle allait tirer fût rouge ou noire, comme s'appelle ce pile ou face. Le poker avait peu de succès : ce jeu exigeait des réflexions, des calculs, des ruses, il était beaucoup trop lent. D'un coup unique de main fine, la belle distribuait les arrêts du destin : l'ouverture d'une carte ou un seul tour de la roulette durait une éternité. Il n'y avait qu'Antoine pour ne pas prêter attention aux visages des hommes et se sentir déçu par ceux des femmes, même les plus jolies. Il s'impatientait, moi encore davantage, à considérer cette scène imaginaire, projetée sur un plan de roman, qui se livre entre Antoine joueur et Isabelle croupier, elle qui aurait accepté de baisser les yeux pour suivre les coups de fortune, elle dont il n'y a qu'à se souvenir du regard par-dessus l'épaule.

Quelques gosses passèrent en courant, s'arrêtèrent devant une entrée au moment où Antoine s'approchait. Ils étaient en train de marchander avec le patron, s'efforçant d'obtenir quelques sous de plus pour les rats qu'ils venaient d'attraper sous les pontons du quai et dont ils juraient qu'ils étaient les plus grands et les plus féroces de San Francisco. Antoine descendit à leur suite. Au-dessous du saloon se trouvait une fosse et, moyennant une petite somme, les clients y venaient assister aux combats des terriers contre les rats. Il n'y avait pas de femmes.

Une grande bâtisse surgit. L'entrée était ouverte, personne à l'intérieur. Antoine erra avant d'aboutir dans une salle plus vaste que la plupart de celles qu'il avait déjà vues à la quête d'Isabelle, mais il y avait assez d'ombres dans la pénombre, de reflets dans les glaces, assez de brumes et de caches pour ne pas pressentir la probabilité d'une découverte. Petit à petit les yeux se faisaient à la clarté douteuse des espaces vides, et Antoine commençait à deviner ce qu'il voyait. La salle où jadis on venait boire et jouer ressemblait à toutes les autres, sauf que le propriétaire, pendant un demi-siècle, n'avait jamais touché à une araignée. Elles vivaient en paix une longue vie, tissant des toiles, et, une patte posée sur un fil, attendaient l'arrivée d'une mouche. L'une après l'autre, les générations se succédaient sous le plafond, sur les murs, sur les fenêtres. De plus en plus nombreuses, poussiéreuses, les toiles habillaient les lampes, les tables de jeux, les bouteilles, les glaces. Le patron avait d'autres passions. Il avait acquis des centaines de tableaux, tous des nus de femmes accrochés partout et dont on devinait à peine le modelé et la couleur sous l'emmêlement des guet-apens à mouches. Il avait pris l'habitude d'acheter aux marins venus de loin des singes, des perroquets, d'autres bêtes, d'autres oiseaux apportés des tropiques. Ils vivaient dans des cages, suspendus au milieu des femmes nues, enveloppés, eux aussi, de toiles d'araignées. Un des perroquets avait été libre. Il avait aimé voler à travers la salle et boire des alcools, appeler le propriétaire « grand-père » et jurer en quatre langues. Il ne vivait plus, son patron non plus, il n'y avait que les araignées pour leur survivre, chaque nouvelle génération s'employant à ourdir son réseau de fils, et la maison s'appelait toujours *Cobweb Palace* : Palais des toiles d'araignées. Elles étaient toujours les seules à poudrer de gris ce spectre de la Côte barbaresque, et Isabelle devait se cacher d'Antoine ailleurs, mais où en fait et pour quelle raison, et pour quelle durée ? Je ne le savais pas encore, m'égarant dans toutes les nappes de brume qui s'épaississent toujours quand on commence à écrire. Qu'allais-je écrire ? Et comment allais-je m'y prendre, moi, déchiré entre Isabelle et Antoine, le peuple cherokee et la guerre à l'horizon où un soleil rouge se levait déjà ? En faire collection ? En les ordonnant ou en respectant le désordre naturel ? J'avais beau regarder autour de moi, il ne se passait rien. Le paysage semblait pacifique : la campagne, du bétail, des champs de maïs, de grandes fermes clairsemées couleur sang de bœuf, les girouettes des moulins à eau, mais l'auto-stoppeur, un représentant de commerce, nous dit sans attendre qu'on le questionne :

— On a bien l'impression que la guerre aura lieu.

Nathan demanda :

— La faute à qui ?

— Dur à dire.

Il réfléchit, ajouta :

— Vendredi dernier, le blé a grimpé de quatre cents. C'est bon pour le fermier.

Il descendit. Nathan dit :

— Quatre cents. Qu'est-ce que ça prédit ? Je dis :

— Les chamans cherokees considèrent que le hululement d'un hibou prédit la mort mais ils négligent les cours de la Source.

— Dommage, dit Nathan.

Notre deuxième compagnon devait avoir seize ou dix-sept ans. Il était au chômage et espérait trouver un emploi.

— Tout le monde par ici, dit-il, croit qu'il va y avoir la guerre. Moi aussi.

Nous l'avons laissé descendre, lui avons

souhaité du travail et sommes repartis. L'horizon s'ouvrit sur un lac comme ceux que nous avions vus la veille : c'était devant nous un fleuve, large et digne parce qu'il avait débordé. Nous nous sommes arrêtés. Je contemplai le Mississippi.

Un gosse s'approchait, menant sa bécane par le guidon. Treize ans environ, des yeux bleus et une salopette de la même couleur. Il semblait amical et m'était familier : Tom Sawyer que je connaissais depuis mon enfance et qui avait descendu le courant des années et remonté celui du Mississippi, depuis la petite ville où Marc Twain l'avait rencontré pour écrire son histoire que j'allais lire et relire. Il devait être facile de s'entretenir avec lui, mais que pouvait-il savoir de l'Europe ? J'interrogeai prudemment :

— As-tu vu les journaux ?

— Bien sûr, dit-il, me jetant un coup d'œil ironique. C'est moi qui les vends.

— Il y a des nouvelles ?

Il dit avec aplomb :

— Personnellement, je ne crois pas qu'on aura la guerre.

— Tu es sûr ?

Il résuma l'article qu'il avait dû lire, parla de sa ville, de son école, de son fleuve et finit par dire :

— Je pense que nous finirons par faire la guerre.

Nathan demanda :

— Pourquoi ?

Tom n'a pas répondu. Il s'en est allé, poussant la bicyclette, pour retrouver ses camarades dont j'ignore s'ils aimaient discuter des problèmes politiques, j'en doute, ou jouer au base-ball comme je pense, et nous avons traversé le Mississippi sur un pont d'acier pour quitter l'Illinois et pénétrer dans l'Iowa.

Moins d'usines, plus de fermes, moins de villes, plus de maïs, moins de vagabonds, plus de plaines, nous ne nous arrêtions que pour refaire notre plein d'essence, de café et de crêpes au sirop d'érable, laissant le petit Bonaparte à gauche, le grand Waterloo à droite. Il n'y avait que ces bourgs pour nous rappeler l'Europe, la France et le goût âcre de la guerre.

La nuit était descendue, les phares n'éclairaient des deux côtés de la route qu'une mer immobile de maïs. La petite ville d'Ames dormait. La taverne se trouvait toute seule au bord de la chaussée avec sa salle climatisée, son poste de radio débordant d'un arc-en-ciel de lumières et de musique, son unique serveuse, grave, maquillée de près, avec un lent sourire. Dehors, bruit de moteurs, coups de freins. Des chauffeurs entraient, consommaient, s'en allaient. Ils étaient moins nombreux que d'habitude : il y avait une grève de routiers à Sioux-City, une autre à Omaha, une troisième à New York, à deux mille kilomètres. La jeune femme avait le temps de s'arrêter à notre table.

— S'il y a la guerre, dit-elle, je pense que nous en serons.

— Pourquoi ?

— C'est exactement comme quand il se passe quelque chose dans un coin du pays, on le sent partout ailleurs.

Elle jeta un coup d'œil à travers la salle, sourit lentement à elle-même ou peut-être à nous.

— C'est dur à savoir, dit-elle. Tout ce que nous savons nous le lisons dans les journaux, et tous les journaux du pays donnent les mêmes nouvelles.

Je demandai :

— Vous leur faites confiance ?

— Oh, non, je n'y crois pas, dit-elle, et elle sourit à nouveau.

Un groupe de voyageurs se leva. Elle les rejoignit, encaissa; ils échangèrent quelques mots que nous ne pouvions pas entendre. Les visiteurs se tenaient debout, ils semblaient graves. La serveuse continuait à sourire. Eux se retournaient pour la saluer d'un hochement de tête en agitant le bras, disparurent dans la nuit. La jeune femme regagna notre table, dit comme si elle parlait à elle-même :

— Ils croient tous qu'ils ne reviendront jamais. Mais moi, je sais que ce n'est pas vrai. Ils reviennent toujours, toujours, tous tant qu'ils sont.

Elle nous regarda, ses yeux posés par-dessus notre épaule, à travers le temps et l'espace, d'un océan à l'autre; on voyait ses lèvres se séparer tout contre les dents blanches, s'incurver aux commissures, les dents se disjoindre à leur tour, laissant apparaître une étroite fente noire et un peu de chair rose. Elle était calme et satisfaite de vivre au bord de la route, de voir passer les camions. Les gens la quittaient, désespérés de s'enfoncer dans la nuit, de ne plus jamais la revoir, avec la seule consolation de ses paroles : ils reviennent toujours, tous tant qu'ils sont. Nous nous sommes levés, Nathan et moi, et sommes partis, comme les autres.

C'était le milieu de la nuit, le milieu des ténèbres, et nos phares glissaient sur les épis de maïs, flocons d'écume d'un troisième océan figé entre les deux autres. J'appuyais sur l'accélérateur, ne sachant si je m'efforçais de fuir le sourire de la jeune femme ou la guerre, si j'étais prédestiné à l'une ou condamné à l'autre. Je voguais, me disant que je ferais mieux de songer à Antoine. Je commençais à entrevoir en lui — dans quelques-unes de ses réflexions, suppositions, réactions — une certaine ressemblance, mais avec qui ? Rien de pire qu'un personnage imitant l'auteur. J'étais sur mes gardes. Je devais l'observer de plus près, mais San Francisco où je l'avais logé se trouvait au bout d'un voyage qui pouvait s'interrompre à n'importe quel moment.

Je suivais du regard la lune qui fuyait, mordue par les nuages. Jadis, lorsqu'il y avait une éclipse, les Cherokees, alarmés, sautaient en l'air, le frappant de clameurs, battaient du tambour sur des chaudrons, tiraient des coups de feu pour chasser le monstre géant pareil à une grenouille-taureau qui dévorait la lune.

Un poste d'essence surgit au bord de la route déserte. A travers la fenêtre, on voyait un vieillard qui dormait. Il se leva et sortit. Je ne sais s'il avait rêvé, ni à quoi, mais il dit, parlant à lui-même :

— Pourquoi le font-ils ?

Les nuages avalaient un débris de la lune. Je voulus savoir :

— Qui ?

— La guerre n'apporte rien de durable, dit-il, les yeux sur le maïs qui nous bordait pour s'étendre jusqu'à l'horizon.

Je pensai : si, la mort, et ne dis rien. Il parla tout seul, toujours à lui-même.

— L'Allemagne l'a déjà déclenchée une fois, et qu'a-t-elle gagné ? demanda-t-il pour se répondre : Voilà qu'elle recommence.

Edenté, décrépit, il quitta des yeux le réservoir de notre voiture qui s'emplissait d'essence, et leva la tête pour interroger les étoiles :

— La guerre a-t-elle jamais donné naissance à quelque chose de permanent ?

Il devait vivre seul et ne savait adresser la parole qu'à des constellations familières que les nuages dissimulaient, le laissant sans réponse. Nous l'avons payé, et, préoccupé comme il l'était, il ne s'est même pas aperçu que nous étions partis.

Nathan conduisait à son tour. Je m'imaginais auprès de la serveuse souriante et regrettais de ne lui avoir pas demandé comme elle s'appelait. Elle m'aurait répondu sans doute que ça n'avait pas d'importance : j'étais sûr de revenir, de la retrouver et de la reconnaître. Ce n'est pas que j'avais sommeil; si je faisais des rêves c'est que j'en avais l'habitude, mais si j'y rencontrais quelqu'un c'était toujours Antoine, donc Isabelle, seulement, à l'horizon de maïs, on pouvait distinguer la petite pointe du jour, et les songes s'évaporaient au même moment qu'un pont surgissait par-dessus une rivière aussi large que le Mississippi. Un homme en uniforme qui prélevait le droit de passage se tenait devant sa cabine, en train d'écouter la radio. Nous n'avions même pas le temps de poser une question.

— Pas d'espoir que ça s'arrange, dit-il. Les Tchèques ne veulent pas céder, et Hitler non plus.

Nous avons démarré. La guerre était imminente, peut-être avait-elle déjà commencé. Le soleil se levait au-dessus du Missouri. J'avais froid dans le dos.

Nathan arrêta la voiture, dit :

— J'ai sommeil. Dormons un peu.

Je ne savais pas encore qu'on peut avoir du sable dans les yeux en temps de guerre. Je n'ai pas rêvé de celle-ci, ni d'Antoine, ni d'Isabelle, mais de la serveuse et de son aventure. Je devais l'inventer et l'écrire bien des années plus tard, et pourtant je préfère la raconter pendant que je dors sur la rive droite du Missouri, l'Etat d'Iowa en face de moi et moi dans le Nebraska, et je ne change l'histoire que de fleuve. Le récit avait même deux titres : j'hésitais entre *Le point de mourir* et *Le pont de mourir*.

Sous le pont, le fleuve, vaste et noir, semblait

immobile. Il suffisait de lever les yeux pour le voir qui s'écoulait, obscur à droite, à gauche plus illuminé à mesure qu'il s'éloignait, ressemblant à la ville qu'il longeait comme elle le bordait pour se jeter tous deux dans l'océan.

Mandy fit un pas de côté pour éviter le câble d'acier qui coupait en deux le ciel, l'eau et New York. D'autres câbles se dressèrent devant elle, tailladant le paysage nocturne comme l'avaient été ses trente-neuf ans qu'elle avait soif de discerner en leur entier. Elle tourna sur place à la recherche d'un espace dégagé. Seuls les cordages étaient nets et clairs qui se succédaient pour soutenir le pont haut suspendu. Mandy avança, chercha un point d'appui, s'accrocha au parapet et finit, en s'écorchant les mains, par l'escalader. La douleur n'était pas déplaisante. Les fils métalliques avaient disparu. Rien ne barrait plus le chemin, n'entravait la contemplation. Du haut du pont elle allait réussir à voir sa vie toute d'une tenue.

La nuit habillait la rive droite, pays perdu autant que les premiers souvenirs. Par endroits surgissaient une poignée de maisonnettes, une enseigne lumineuse, comme surnagent dans la mémoire l'unique arbre qui poussait dans la cour, transpercé d'un éclat de soleil, le goût de la première glace, la couleur de la première robe, plus rose que cette glace à la fraise, et portée pieds nus sur la table à manger où votre mère vous a posée devant un petit miroir reflétant ses deux mains qui vous soutiennent et se terminent aux poignets, les bras disparus derrière le cadre, dans le passé, l'enfance tout entière évanouie, sauf l'arbre, la robe, la glace, immuables au milieu des ténèbres. La rive gauche était autrement riche en souvenirs.

C'était l'heure du sommeil et bien des maisons

étaient éteintes, mais des successions de réverbères, les devantures flamboyantes des magasins
clos, des cafés ouverts, les geysers, les volcans,
les arcs-en-ciel des enseignes lumineuses écra-
saient au milieu des nuages une petite lune plate
et pâle; des milliers de fenêtres s'éclairaient au
hasard des insomnies et du travail, des amours
et des infortunes. Aucun son n'en parvenait sauf
parfois le mugissement lointain d'une sirène,
jamais une voix dans cette ville qui semblait peuplée de sourds-muets : il n'y avait personne pour
aider Mandy à se souvenir et à comprendre.

Elle y tenait à tout prix et s'était efforcée de le
faire, de préférence au milieu de la foule à l'instant où se vident les bureaux et les magasins,
s'imaginant que parmi ces inconnus qui se précipitaient vers les entrées du métro, il devait y
en avoir un pour la reconnaître. Aucun ne flânait,
aucun n'allait à sa découverte, ils s'éloignaient, la
regardant sans la voir, et elle changeait d'heure
et de rue dans l'espoir de rencontrer quelqu'un
qui, face à elle, tomberait en arrêt, mais le passant
passait comme son nom l'indique, sans lever les
yeux, et l'on pouvait croire qu'il était aveugle
ou elle invisible; elle avait beau hausser la voix,
insinuant qu'elle était muette ou lui sourd, son
ombre le suivait, indifférente elle aussi; celle que
Mandy gardait, sa petite ombre personnelle qui
se blottissait devant elle, ne lui chauffait même
pas les pieds. Autour d'elle étincelaient, au milieu
d'automobiles en or, d'intarissables bouteilles
dont s'écoulaient des rivières d'alcool, de géantes
cigarettes inextinguibles, les hommes et les
femmes les plus jeunes, les plus beaux, immortels,
tous et toutes créés à coup d'ampoules électriques
et de tubes à incandescence, faits de mercure, de
néon, de néant. L'entrée du paradis était interdite, Mandy avait beau errer, rien ne changeait,

autant s'asseoir par terre et observer le désert de New York, peuplé d'hommes comme de statues dont aucune ne tournait la tête.

Le premier désert où elle avait vécu, à l'extrémité du continent, au début de sa vie, était violet. Au milieu se trouvait une maison de brique, Mandy y dormait le jour et travaillait la nuit. D'un horizon à l'autre, des camions traversaient la plaine pour s'arrêter devant l'entrée. La grande lune ronde pendait au-dessus de la tête. Des hommes aux épaules larges, qui sentaient le tabac et l'essence, arrêtaient le moteur, entraient, demandaient à manger et à boire et, pendant que la serveuse battait des œufs ou faisait griller de la viande, glissaient une pièce de monnaie dans la boîte à musique et la chanson éclatait.

Les hommes ne quittaient pas des yeux le tablier bleu, le corsage blanc, le calot blanc et bleu, le visage de dix-neuf ans, elle était reine du désert, reine de la nuit. Ils l'appelaient Mandy, diminutif qu'elle n'aimait pas, et lui disaient des mots tendres avant de vider leur assiette, de payer, de reprendre le volant; les lumières s'évanouissaient, d'autres phares affluaient vers la bâtisse, un homme descendait à terre pour la dixième fois ou pour la première comme celui qui avait su trouver la chanson, le regard, les paroles, l'appeler par son nom d'Amanda qui signifiait digne d'être aimée.

— C'est à New York que vous ferez une carrière, avait-il dit.

Elle avait regardé devant elle : la gloire et la fortune se levaient à l'horizon, c'était le point du jour. La traversée du continent était trop longue, coûtait trop cher. Il s'était offert à tout entreprendre, il devait partir, lui qui avait encore cent heures à rouler seul, il s'était dirigé vers la sortie, elle s'était retrouvée à ses côtés, dans la cabine du camion de vingt tonnes, sans avoir même pensé à enlever son tablier, son calot. Le temps de perdre le café de vue, il s'était arrêté : il avait sommeil, elle aussi devait être fatiguée, mieux valait s'allonger. Dix minutes plus tard, elle avait hurlé. Il s'était remis au volant et conduisait en silence. Elle pleurait, assise le plus loin possible de lui; à travers le pare-brise, un torrent de lumière les inondait. Le chauffeur se taisait toujours. Le même soir elle l'aimait déjà.

Trois jours plus tard, par-delà les fleuves, les lacs et les villes, il s'arrêtait au coin de deux rues : c'était New York. Le routier devait ranger le camion dans le garage, elle n'avait qu'à l'attendre un quart d'heure. C'était là son dernier souvenir ineffaçable : immobile au bord du trottoir, à côté d'une bouche d'incendie, de la pointe du pied elle touchait l'avenir. La nuit l'encerclait, l'homme n'en a jamais surgi pour la rejoindre.

Cette image, elle la distinguait dans ses moindres détails, jusqu'au calot bleu et blanc qu'elle gardait à la main comme si elle était sur le point de mettre le pied dans sa nouvelle maison, mais au delà elle ne pouvait rien discerner. Ce n'est pas qu'elle n'ait connu personne, occupé des lits avec des hommes de passage, brièvement sur elle et dans sa vie, jamais à ses côtés, qu'elle n'ait travaillé dans des cafés, la nuit de préférence, échangé des mots avec les allants et les venants, écouté les voix absentes des boîtes à musique, qu'elle n'ait rêvé. Les rêves s'effilochaient, les chansons n'étaient bonnes qu'à faire pleurer, les brefs souvenirs plongeaient dans la brume. Les années étaient faites de pièces et de morceaux, impossible d'en retrouver l'éclosion, la métamorphose, l'épanouissement. Mandy avait beau entrer au milieu de la nuit dans un café, personne ne paraissait pour s'immobiliser devant elle, les yeux dans les yeux : elle errait dans un désert peuplé de statues et de boîtes à chansons.

Elle regarda à sa droite, du côté de la campagne et de son enfance, à sa gauche vers la ville, et ne retrouva que des bribes. Pour si peu cela ne valait pas la peine de franchir les câbles d'acier, de monter sur le parapet. Elle baissa la tête et regarda le fleuve noir à ses pieds. Quelques lumières l'éclairaient de dos. Elle chercha sa silhouette sans la trouver et comprit que l'ombre avait déjà glissé dans l'eau. Mandy s'était raconté des sornettes pour escalader le parapet sans s'avouer la tentation de suivre son ombre, mais le désir de ne rien espérer sauf l'engourdissement était loin de suffire. Elle épiait un bruit de pas, une voix humaine. Il existait une dernière excuse de vivre : l'apparition de quelqu'un. Sur ce pont, à cette heure, c'était impossible. Elle devait le prouver pour avoir le droit de rejoindre son ombre. Mandy leva la tête, jeta un coup d'œil par-dessus l'épaule et vit un homme. Il passerait sans l'apercevoir, pensa-t-elle; il la regarda. L'ayant vue, il allait continuer son chemin, pensa-t-elle; il s'arrêta.

Elle l'examina en évitant de rencontrer ses yeux. Il était vêtu de bleu et portait une casquette.

— Descendez, dit-il.

Sa voix exprimait un mélange d'irritation et d'indifférence, et Mandy se demanda s'il lui en voulait de la voir ou la confondait avec une autre, à moins de ne pas l'apercevoir comme le faisaient les passants. Elle se tourna légèrement pour se faire mieux éclairer et attendit face à l'homme, le dos tourné vers l'endroit où son ombre l'avait abandonnée pour s'en aller à vau-l'eau.

Il dit :

— Descendez plus vite que ça, et fit un pas en avant.

C'était un ordre ou une prière : Mandy demeurait incertaine. Tenait-il à la voir de plus près ? éprouvait-il le besoin de la reconnaître ? Lui, ne ressemblait à personne, mais cela ne prouvait rien. Elle se revit au cœur du désert, sous la grande lune ronde; descendu du haut de son camion, un inconnu ne pouvait la quitter des yeux, et Amanda signifiait digne d'être aimée. Elle commençait à comprendre qu'elle avait eu raison de monter sur le garde-folle pour contempler sa vie dans son entier.

— Je dois sauter, dit-elle en soulignant le mot « dois » pour forcer le passant à lui parler encore et, craignant qu'il ne refuse de la croire, elle recula d'un pas.

Le policier hésitait. Il n'avait qu'à continuer son chemin en oubliant la rencontre. Il ne risquait rien : des suicides, il y en avait tous les jours, et la nuit plus encore, l'eau servait autant que le gaz et le poison, la brigade fluviale en savait quelque chose. Il ne se décidait pas à s'éloigner. S'il réussissait à sauver cette femme qui n'était pourtant pas jeune et belle, il serait félicité par son chef, un journal publierait sans doute la photo de la suicidaire sauvée en première page si, en payant la femme, on obtenait qu'elle remonte sur le parapet pour se faire photographier, et lui-même obtiendrait de l'avancement. Il était sur le point de bondir mais n'osa pas le faire, de peur qu'elle ne saute comme elle venait de le dire. Soudain il trouva la solution qui correspondait à ce que les hommes de son métier apprennent à faire dont la réussite lui apporterait le succès et la gloire. Il saisit le revolver enfoncé aux trois quarts dans un étui qui pendait à sa taille et dit en visant la femme :

— Si vous ne descendez pas tout de suite, je tire.

Il réfléchit avant d'ajouter :

— Je compte jusqu'à trois.

Dans ce désert peuplé de statues, elle avait enfin trouvé un homme qui, pour elle, était prêt à tout. Lentement elle lui sourit, esquissa un petit pas en arrière. Le policier l'aperçut qui reculait et, fidèle à son métier, tira. Elle tomba sur le trottoir, condamnée à ne jamais rattraper entre deux eaux son ombre.

Nous avons bien dormi sur les bords du Missouri. Je me suis réveillé, j'ai revu la serveuse dont j'avais rêvé l'histoire que je viens de relire à l'instant : c'est pas mal écrit mais peut-être trop bien, il suffit que ça s'écrive. A l'époque, je n'en savais rien : j'avais d'autres casse-tête d'écriture. Nous avions dormi quatre heures, et j'avais le soleil dans les yeux que je gardais fermés. Le fleuve était vaste et paisible, la guerre inconcevable. Je n'y pensais pas, ni à Mandy dont je n'avais pas encore inventé le prénom ni à celle que j'avais vue sourire la nuit précédente au café, mais à Isabelle que j'espérais découvrir à San Francisco avec l'aide d'Antoine que j'avais fait dormir et rêver dans des quartiers insolites où elle s'était révélée introuvable.

Maintenant il commençait à former ses propres projets et idées, et moi, au lieu de l'encourager, de lui octroyer un coup de main et de plume, je me demandais si je devais continuer d'intervenir à chaque pas. Si je m'entêtais, mon griffonnage risquait de n'être bon qu'à faire des papillotes.

Antoine montait avec peine tellement la rue était abrupte, et chaque fois qu'il baissait les yeux pour se rendre compte à quel niveau il devait appuyer la pointe du pied, il lisait dans le trottoir l'indication qu'il avait été posé par des ouvriers syndiqués : c'était bien San Francisco.

Parvenu au sommet de la colline, il s'arrêta et, la tête baissée, chercha du regard. A la hauteur de ses chevilles, c'était la baie, la terre en face et une brume blanche comme de légers nuages à demi transparents, plus proches de l'eau que du ciel. Isabelle n'était nulle part. Antoine reprit la marche. Il voulait regarder le Pacifique.

Ce n'était pas facile. Il se fourvoya dans un parc qu'il avait commencé par prendre pour une forêt, poussa des cris, agita les bras sans être entendu ni aperçu tellement les passants étaient lointains, abasourdi lui-même par la musique d'un grand vent dans les câbles du pont du Golden Gate. Il décida qu'il avait été égaré par Isabelle comme d'habitude, et tout d'un coup se trouva face à face avec l'océan.

Il y avait des plages, des grèves, des falaises, un embrouillamini de cailloux et d'algues, un va-et-vient de crabes, l'écoulement des filets d'eau, mais il suffisait de regarder par-delà les rochers pour se rendre compte que rien d'autre au monde n'était assez grand, assez fort pour se permettre de s'appeler Pacifique.

Le soleil commençait à descendre dans l'eau. Il avait encore un long chemin à franchir, et, noires sur un fond de lumière, se détachaient des silhouettes : quelques femmes et plusieurs hommes, la plupart solitaires. Antoine se rapprocha. Tout le monde lui tournait le dos. Une demi-douzaine de marins, trop vieux pour garder leur métier sinon la tenue, à commencer par le maillot rayé bleu et blanc. D'autres, d'âges divers, d'une profession obscure, et de rares couples la main dans la main ou épaule contre épaule. Tous donnaient l'impression de revivre un souvenir ou un voyage, l'un comme l'autre à l'extrême limite de la mémoire. Le regard braqué sur un passé disparu, un sourire mi-ravi, mi-pitoyable aux commissures des lèvres, ils semblaient suivre le long des lames lentes de la mer l'unique instant de la vie qui l'avait rendue digne d'être vécue. Antoine avait beau chercher : ni de près ni même de loin, pas une seule femme, même jeune, même belle, ne lui rappelait Isabelle. Il faisait quelques pas, s'arrêtait à une certaine distance d'une passante pour l'entendre au cas où elle éprouverait l'envie de lui adresser la parole. Chacune semblait se plaire en compagnie de soi-même. Il repartait.

C'est ainsi qu'il traversa l'endroit qui porte le nom de Land's End — la Fin de la Terre —, avança encore, dépassa d'autres contemplateurs et rêveurs, en observa plusieurs qui, au lieu de fixer les lointains, considéraient, tête basse, les vagues au pied de la colline.

La marée finissait de descendre, et Antoine distinguait deux énormes objets qu'on pouvait confondre avec la rocaille qui jonchait la plage, mais on avait tôt fait de se rendre compte qu'ils avaient une teinte de rouille et étaient des coques de vaisseaux ou ce qu'il en restait. Plus près de l'escarpement de la côte, traînaient des morceaux déformés de bateaux. Il y en avait d'autres au fond de l'eau dont émergeaient le devant d'une chaudière et, un peu plus loin, l'extrémité d'un mât.

— Ils se sont heurtés, dit une voix dans le dos d'Antoine.

Il se retourna. L'homme devait avoir la soixantaine. Peut-être un ancien matelot.

— Il y a seize ans que c'est arrivé, et ils sont toujours là, dit-il, et il prononça deux noms, l'un anglais, l'autre allemand, qui étaient ceux des navires.

Je pensai : la guerre.

— La guerre ? demanda Antoine.

— Le brouillard.

Ça lui semblait naturel. Il s'anima et, faisant un geste :

— Et là, deux autres, l'année dernière.

— Une collision, eux aussi ?

— Bien sûr.

— Même cause ?

— Ici, c'est toujours le brouillard.

Antoine scruta le paysage.

— Il y en a plus de quatre, dit l'homme, faisant l'important. Regardez bien. C'est le cimetière de navires.

L'appellation ne devait pas venir de lui mais elle lui plaisait sans doute : il sourit.

A présent, Antoine avait l'impression de distinguer, entre les rochers et dans l'eau qui semblait respirer, au milieu du déploiement des varechs, un fatras de carènes, d'étraves, de quilles, habillées de coquillages. Il voulut savoir si son interlocuteur visitait souvent les lieux d'enterrements maritimes.

— Tous les jours, dit l'autre. L'air est bon, et les promenades sont excellentes pour la santé.

Il invita Antoine à l'accompagner, le prit par le bras, et ils s'en allèrent le long de la falaise.

Le soleil commençait à rougir. De temps à autre, le vieux s'arrêtait, indiquait des décombres sous-marins et racontait une histoire.

— Un schooner, dit-il. Le *Parallel*.

— Je ne vois rien, dit Antoine.

— Il n'y a rien à voir : il n'en est rien resté.

— La tempête ?

L'homme fit non de la tête : la goélette était chargée de trente-six tonnes de dynamite et avait explosé à force d'être projetée contre les rochers.

— Et là, dit-il, en pointant son menton vers la plage, c'était la tempête.

— Un bateau ?

— Une baleine.

Antoine chercha du regard, ne trouva rien, demanda s'il y avait beaucoup de baleines, apprit qu'elles étaient rares.

— Penchez-vous, dit l'autre, et regardez. On ne voit que des cadavres de navires. Il garda le silence avant d'ajouter : Et plus tard il n'en reste que des squelettes... c'est bien un cimetière.

L'océan s'allongeait toujours davantage, les lumières changeaient, les couleurs également : certaines s'estompaient, quelques-unes s'embrasaient. La falaise s'ombrait, il devenait plus difficile de voir la terre que le ciel, impossible de savoir si les contours des visages qui venaient de surgir sur fond de mer appartenaient à des hommes ou à des femmes. Ils formaient un groupe sans signes particuliers que le crépuscule rendait indéterminable. Antoine songea que c'était une sorte de ruse inopinée dont il commençait à prendre l'habitude, et il se glissa vers ces inconnus impersonnels, prudemment, par-derrière, pour les identifier avant de l'être lui-même. Il entendit une voix d'homme qui disait :

— C'était le *Rio de Janeiro*.

— D'où venait-il ? demanda une femme qui n'était pas la bonne.

Antoine s'approcha d'elle : en effet, c'était une brune de petite taille.

— De l'Extrême-Orient, dit le même homme.

— On en voit quelque chose ? s'informa un autre.

— Essayez vous-mêmes, répondit le premier sur un ton goguenard.

Tout le monde se déplaça en même temps, certains se mettaient sur la pointe des pieds pour mieux scruter les crêtes des vagues. Antoine les suivit, se rapprochant de deux femmes qu'il n'avait pas encore observées. L'une était grise, l'autre blanche, toutes deux indifférentes.

— Ils avaient deux jours de retard, dit le narrateur de l'aventure du *Rio de Janeiro*, et quand ils sont arrivés à quatre milles d'ici — il indiqua un point devant lui — ils ont pénétré dans un mur de brouillard si épais que le capitaine a fait jeter l'ancre et ils ont dû attendre toute la journée. Ils ne pouvaient rien faire. Ah, si, on faisait sonner la cloche toutes les trente secondes.

Certains auditeurs suivaient son récit des yeux dans la houle, d'autres sur son visage. Il rappela que l'histoire se passait fin février et que le brouillard d'hiver vient de la baie et envahit l'océan. Ils étaient plus de deux cents voyageurs qui avaient attendu toute la journée à bord du vapeur qui roulait. Vers le soir, la brume avait fondu et le commandant avait donné l'ordre de lever l'ancre. Mais le brouillard tomba de nouveau.

En face du conteur, l'océan demeurait pacifique, il ne brumait pas, la nuit descendait à vue d'œil.

— A quatre heures trente, dit l'homme, le *Rio de Janeiro* s'est remis en marche et a pris la passe à demi-vitesse. Au bout d'une demi-heure, il s'est enfoncé dans le brouillard et en a débouché pour en voir surgir un nouveau mur devant lui. Soudain, une embardée, tous ceux qui dorment sont précipités hors du lit, et les autres qui veillent sur le pont, par terre, les lumières s'éteignent, le navire coule dans le Golden Gate avec tout le monde, y compris le capitaine.

A la maison, à table, on aurait écouté l'histoire avec intérêt et indifférence ; au sommet de la falaise, face à l'océan et à la nuit, ils risquaient d'avoir pu être en train de naviguer dans la brume.

— Tout le monde, dit la femme qui avait parlé la première.

Et une autre, une rousse :

— On ne voit rien du bateau. Il fait trop noir maintenant. Le jour, peut-être.

— Je vous ai bien dit de regarder.

L'homme semblait satisfait : à l'entendre, il était sur le point de révéler l'élément capital de l'histoire.

— On a fait des recherches dans le fond du chenal et on n'a jamais retrouvé aucune trace du navire. Il avait disparu. Vous vous rendez compte ? Jamais aucune trace du *Rio de Janeiro*. Depuis le début du siècle.

Les visiteurs du cimetière maritime s'étaient mis en marche. L'un d'eux se retourna pour demander :

— Il n'y avait que des gens à bord du bateau ?

Il semblait déçu.

Le narrateur, demeuré en arrière, cria :

— Si, il y avait de l'or et des soies.

Le premier réfléchit.

— La soie, ça pourrit, mais l'or ne craint pas l'eau de mer.

La discussion s'engagea qu'Antoine n'écouta pas, il était demeuré sur la falaise. Derrière lui, la voix de son premier guide :

— Vos amis sont partis. Je vais faire comme eux. Et vous ?

— Je reste.

— Attention à la brume.

Il disparut aussitôt.

L'air ne manquait que de lumière mais était clair. Antoine fit quelques pas. Le sentier courait des bordées en bon marin. De temps à autre, il fallait tâter du pied. D'un seul coup, l'horizon s'élargit : une lune surgit éclairant les bordures des nuages dont elle venait de s'échapper, peut-être grâce aux cris et aux coups de feu des Cherokees chassant la grenouille-taureau. Des vagues bleutées s'écroulaient sur des rochers bleuâtres, une nuit lunaire se posa sur une mer bleue.

J'ai pensé : le moment est venu.

Antoine s'arrêta. Maintenant il voyait tout mais c'était la première fois qu'il voyait ce paysage qui ne ressemblait à aucun autre. Sans doute était-ce celui d'une Amérique nocturne face au Pacifique la nuit. La terre se taisait, le fracas du ressac qui chutait mesurait le temps; les navires engloutis corps et biens, leurs reflets et leurs ombres avaient pris le large. Antoine demeurait solitaire. Il suivit des yeux les deux lunes, dans le ciel et dans l'eau, qui faisaient la course silencieusement. Il comprit sans rien voir ni entendre qu'il n'était pas seul.

Quelqu'un tout près de lui, à sa droite. Il attendit sans esquisser le moindre mouvement, la tête immobile, les regards posés droit devant lui. Il n'éprouvait aucune crainte, certain de ne pas se tromper, se disant que ce n'était pas à lui d'aller à la découverte, mais à l'autre : lui-même devait faire preuve de patience. Il avait raison; à sa droite, comme il l'espérait, il crut discerner une respiration. Elle était proche, lente et humaine, il n'en savait pas davantage. Il continua d'attendre. Devant lui, la lune s'engouffra dans un nuage subit. Faute de lumière, la respiration devint plus perceptible, le paysage disparut. Antoine en profita pour tourner à peine la tête et les yeux. Il patienta de nouveau. Le nuage poursuivit sa course, la lune resurgit.

Pas quelqu'un mais quelqu'une. C'était une femme. Elle se tenait bien à sa droite, près de lui, la tête dirigée légèrement dans sa direction, tournée à peu près des deux tiers, peut-être un peu plus ou moins, quatre septièmes ou trois septièmes, mais ce n'était pas lui qu'elle semblait regarder, en tout cas, pas ses yeux, à la rigueur une partie de son visage, plus probablement une fraction de la falaise et la mer au fond. Sa figure, sa coiffure et la boucle d'oreille qu'il voyait semblaient bleues à cause du clair de lune. Elle demeurait immobile.

Antoine se dit que lui non plus ne devait pas bouger, qu'il devait garder le silence, éviter que leurs regards qui se croisaient obliquement ne se rencontrent. C'était à elle de prendre toutes les initiatives : elle était à sa disposition. Tant qu'il l'avait cherchée, découverte, poursuivie, elle avait fait semblant de ne pas le reconnaître, de prendre le large, et lorsqu'ils se rencontraient à nouveau, était-ce lui qui la retrouvait ou elle qui réapparaissait ? Elle seule aurait pu le lui dire mais quelle question lui poser ? Si elle s'appelait Isabelle ? À moins de ne rien demander et de l'appeler Isabelle, comme il l'avait fait en quittant le ferry sans obtenir de réponse, mais cela faute d'avoir été entendu ou d'avoir voulu l'être ? Il aspira, faillit prononcer la première voyelle du nom d'Isabelle, expira sans le faire et garda le silence. Elle n'avait pas réagi. Il patienta une fois de plus sans bouger, sans quitter de vue certaines parties du visage de sa voisine. Aucun autre nuage ne passa, les voix des vagues étaient toujours aussi régulières mais semblaient moins fortes. Soudain, la jeune fille remua pour la première fois.

J'avais réussi à forcer Isabelle à approcher Antoine, elle avait daigné consentir à se laisser voir. Mais rien au delà. Il avait le choix libre. Il devait engager l'entretien comme cela lui chantait; quant à moi, j'étais décidé à me taire.

Il ne la voyait pas tout entière; d'une façon précise, il n'aperçut que peu de chose, pourtant cela le bouleversa : à l'extrémité gauche de la bouche, elle sourit. Le mouvement était à peine perceptible mais incontestable, le bout des deux lèvres s'était soulevé. Rien ne prouvait que le sourire était adressé à Antoine mais pour quelle autre raison aurait-elle pu le faire ? Seule, aurait-elle souri ? A qui souriait-elle si ce n'était pas à lui ? A elle-même ? Mais pour quelle raison ? A cause d'Antoine sinon à lui-même ? Le silence lui pesait toujours davantage. Il n'était pas nécessaire de poser des questions, le son de la voix suffirait, même une voix basse et inintelligible, juste assez pour qu'Isabelle l'entende et réponde, si elle ne s'appelle pas Isabelle, qu'elle s'appelle autrement. Il s'interrompit pour se rétorquer qu'il pouvait aussi aisément présager que son nom était bien Isabelle; ce n'était pas par hasard, c'était grâce à sa bonne mémoire qu'il s'en était servi à son égard, comme ce n'était pas l'effet d'une coïncidence si elle était venue se planter à côté de lui, face au Pacifique. Le dernier argument, dicté par un sentiment de prudence, qu'il évita de s'avouer, lui parut préférable.

Elle s'était interrompue de sourire, ce qui pouvait signifier trente-six choses différentes, la plupart impliquant sa présence à lui, motivée par sa décision de se fier dans ses recherches au hasard, c'est-à-dire le désir de s'en remettre à elle, etc., etc. : il n'y avait qu'à prolonger, à coups de subordonnées complétives et circonstancielles, l'énumération des causes pour en mentionner dix-huit plus une, et même davantage, bref en obtenir plus de la moitié et jusqu'à trente-cinq, sans redouter la trente-sixième dont la probabilité était problématique.

Il lorgna les fragments du visage qui étaient dans son champ. Elle ne le regardait pas, en tout cas, pas à côté d'elle, peut-être au fond de ses pensées. Subitement il s'imposa une réponse sans s'interroger. Tu as tort, se dit-il, de jouer à pile ou face entre elle et toi-même. Qui sait, et s'il n'existait que la pile, et si la face — sa face — n'était pas ? C'était plausible, et il se surprit sur le point de frôler du bout des doigts l'épaule de la jeune fille et s'empêcha au dernier moment de le faire, effrayé qu'il était de se convaincre qu'elle n'était pas là. Mieux valait renoncer à la toucher, à l'entendre et faire à la prunelle de ses yeux une confiance aveugle. Il chercha un argument favorable et le trouva aussitôt comme à l'accoutumée : s'il l'avait reconnue c'est qu'il l'avait déjà rencontrée auparavant. Il n'y avait qu'à le lui dire, mais si elle avait une raison de le nier ou de le passer sous silence, raison qu'il avait oubliée ou toujours ignorée, tenant aux circonstances de leurs rencontres antérieures, s'objectait-il, et il retombait dans une dispute violente avec lui-même, faite d'arguments alternatifs et contradictoires.

Il avait réussi à retenir le mouvement de sa main, mais sa gorge était plus rusée : il s'était empêché d'adresser la parole à sa voisine, il finit par ne pas s'interdire de lever la voix en sa compagnie. Il ne trahit rien, pas même qu'il était conscient de sa présence. Il aurait pu le faire jusque dans la solitude, non pas pour attirer l'attention d'un tiers, mais pour s'entretenir avec soi-même, comme on peut se permettre, étant seul, de changer d'expression. Il parla donc, laissant à l'autre le privilège de choisir son attitude : répondre, se taire, esquisser un geste.

— La nuit, dit-il, la plus bleue de ma vie.

Elle n'avait pas bougé. Son regard, posé sur le

même point, à peine à droite d'Antoine, demeura immobile. Aucun frémissement aux commissures des lèvres, aucune palpitation des sillons minuscules qui glissent du coin de l'œil à l'oreille. Elle était toujours aussi belle et absente.

Rien ne prouvait rien dans aucun sens. Antoine s'efforça de ne pas réfléchir et de se laisser aller à vau-l'eau. Il dit comme s'il annonçait une nouvelle :

— Les bateaux engloutis ont appareillé.

Elle ne chercha rien des yeux. Antoine regarda. Les crêtes couraient le long des vagues qui s'écroulaient lentement l'une après l'autre. Les navires avaient disparu.

Antoine s'impatientait. Il avait l'impression d'en être pour sa peine à s'efforcer d'animer une statue. Déchiré entre le besoin de la ressusciter et la peur de la perdre, il ne pouvait s'empêcher de fléchir, lui qui mourait d'envie de prononcer son nom comme il mourait de crainte qu'elle ne le rejette.

— Si nous sommes ici, allait-il dire. Si je suis ici, dit-il, sur les côtes d'Amérique, c'est grâce à Isabelle dont trois navires ont permis de découvrir le Nouveau Monde. La reine de Castille était grande de taille, elle avait des cheveux d'un blond tirant sur le roux et des yeux verts. Elle s'appelait Isabelle mais elle n'était pas la seule à porter ce nom. Il y a eu Isabelle d'Angleterre, Isabelle d'Aragon, Isabelle d'Autriche, Isabelle de France, et toutes les autres Isabelle qui n'avaient pas un titre de souveraine. Ce n'était pas Antoine qui parlait, c'était moi, trop bien informé, que le diable m'emporte. Il quitta l'horizon des yeux, regarda à sa droite, se tourna brusquement, chercha de tous côtés, ne bougea plus. La jeune femme venait de disparaître. Ça ne prouvait rien, sauf qu'elle s'appelait Isabelle.

J'étais en avance sur Antoine : au-dessus du Missouri, le soleil se levait deux heures avant celui de Californie. La route était déserte, les villages portaient les noms des hommes et des femmes qui en avaient construit les premières maisons et que nous ne pouvions connaître, et des grandes villes d'Europe qui nous étaient familières mais dont nous ignorions le sort, ne sachant encore ce que le monde était devenu depuis la veille.

Dans l'unique rue de Clarke, on entendait deux postes de radio, l'un au café, l'autre chez le coiffeur qui, debout sur le pas de la porte, s'ennuyait. Nous nous sommes arrêtés pour apprendre les nouvelles. Les deux speakers parlaient de l'Europe. Le coiffeur qui avait fait la première guerre nous dit :

— Ça a l'air mauvais.

A l'arrêt suivant, à Willow Island, un hameau d'une soixantaine d'habitants, la jeune vendeuse de l'unique épicerie nous dit :

— Rien de nouveau aujourd'hui.

Dans la petite ville où nous avons fait halte pour prendre de l'essence, le garagiste nous dit :

— Je ne vois pas comment nous pouvons l'éviter.

Il était midi vingt. Nous avons reculé nos montres de soixante minutes. A présent, c'était l'heure des Rocheuses : nous avions gagné une heure sur la guerre.

Le terrain, depuis longtemps plat, commençait à moutonner. L'herbe, de verte, devenait grise et violette, par endroits, le sol transparaissait. Quelques champs de maïs, de rares fermes de plus en plus pauvres avec leur moulin à eau qui tournait lentement, d'immenses poteaux télégraphiques, les rails des chemins de fer, sur les toits des trains de marchandises, longs de plusieurs centaines de mètres, des vagabonds, debout, assis ou passant d'une voiture à l'autre. J'aurais dû leur tenir compagnie, choisir les trains d'Antoine, ses fleuves, ses montagnes.

Le paysage se déployait : il suffisait de tourner la tête pour changer de temps, fait d'orage, de ciel bleu, de tempête, de soleil. Le premier cowboy que j'aperçus semblait dormir, posé sur sa selle comme nous dans un fauteuil. Tout autour, un troupeau paissait paisiblement. Quelques rochers se dressaient à droite; dans un roman d'aventures ou un film, ils auraient dissimulé des Indiens prêts à l'attaque. L'homme leur tournait le dos.

Comme notre voiture allait le dépasser, je m'aperçus qu'il roulait une cigarette d'une main. Jadis, si l'on fumait certaines marques de tabac, on trouvait dans chaque paquet un billet dont un certain nombre donnait droit à un livre. Comme tous les cow-boys vivaient isolés et, faute de compagnons, s'entretenaient avec leurs pensées, ils collectionnaient les billets pour se procurer de la lecture, dissiper la solitude et faire le tour du monde comme je l'avais fait moi-même de volume en volume, gosse cahoté entre Paris et Pétersbourg. Les cow-boys du Far West et moi, nous n'étions pas les seuls à vivre plongés dans un livre, à en avoir une fringale incessante. La région que je traversais à présent était vaste et sauvage. En été, la chaleur était insurmontable, hommes et bêtes y mouraient de soif. Le froid, en hiver, tuait à son tour, la neige habillait le pays, à tel point profonde qu'au siècle dernier, elle forçait les émigrants à abandonner les chariots. Il y avait près de trois mille kilomètres à franchir en suivant la piste depuis le Mississippi; pendant les années de migration, plus de trente mille voyageurs sont morts, un tous les trente mètres.

On raconte l'histoire de Moses Schalenberger, un garçon de dix-sept ans, qui avait accepté de laisser partir ses compagnons de voyage et était resté seul pour garder les voitures et les biens de la caravane jusqu'à la fin de l'hiver. La neige montait toujours plus haut, l'adolescent se nourrissait de coyotes, immangeables, et de renards, savoureux. Il se sentait de plus en plus solitaire, incertain du retour de ses camarades et de son sauvetage, n'entendant que la voix des bêtes, la voix du vent et la chute taciturne de la neige. Son salut, il devait le trouver en découvrant un jour, dans un chariot, des livres. Les hommes sont revenus, à la fin de l'hiver, chercher la caravane et son gardien devait raconter que les livres, il les avait lus pour vivre en compagnie, et cela à haute voix pour résister au poids du silence. Les volumes avaient des épaules solides.

Dans les champs un nouveau cow-boy à cheval roulait une cigarette entre trois doigts. Je ne sais s'il aimait lire, je l'espère. La nuit approchait quand nous sommes arrivés à Cheyenne, l'ancienne cité des gardiens de troupeaux aux bottes à talons hauts. Dans la grand-rue traînaient soldats et putains : c'était une garnison mais on ne faisait plus la guerre dans le voisinage aux Sioux ni aux Apaches, et celle dont parlait la radio risquait d'éclater à l'autre bout du monde.

Nathan et moi, nous nous sommes arrêtés pour écouter la radio. Un passant m'annonça :

— Il paraît que l'Allemagne a fixé l'offensive à samedi prochain.

Nous étions mercredi, donc la guerre dans trois jours. La Grande-Bretagne rappelait la marine, déclara la radio. Autour de nous, les gens demeuraient tranquilles : l'océan Atlantique se trouvait à deux mille kilomètres à vol d'oiseau de Cheyenne. Embouteillages sur les routes autour de Londres, racontait le speaker en accélérant son allure, les habitants fuient la capitale. A Paris, les départs se font de plus en plus nombreux; à la frontière allemande, les troupes françaises sont prêtes à se battre jusqu'au bout, s'écriait le speaker. Personne dans la foule ne semblait s'inquiéter, à l'exception de moi-même. Un soldat ensommeillé s'en alla; je me baissais pour ramasser le journal qu'il avait abandonné. A la rubrique météo, j'appris que le temps était nuageux et variable à Paris, mais à Berlin, clair et ensoleillé.

Il faisait beau quand nous nous sommes levés pour quitter Cheyenne. Nous avions devant nous le Wyoming, Etat d'un Far West disparu, et derrière nous, au delà de l'horizon, une guerre annoncée pour le surlendemain.

Je conduisais, plus rapidement encore que d'habitude. J'étais pressé d'arriver à San Francisco : la guerre m'y attendait, mais je m'obstinais à m'interroger au sujet d'Isabelle et d'Antoine, lui qui avait trop parlé sans obtenir une seule réponse, elle qui ne faisait que se taire et sourire.

Le premier auto-stoppeur qui nous fit des signaux sur le bord de la route était coiffé d'un feutre et portait une valise à la main. Amical, souriant, il s'appelait Tony, avait vingt-six ans, était né en Sicile et avait immigré à l'âge de trois ans. Cinq jours plus tôt, il avait quitté le Maine, à l'autre extrémité du pays. Il s'installa à côté de Nathan qui demanda aussitôt :

— Alors, c'est la guerre ?

Le garçon haussa les épaules. Je dis :

— Alors, c'est la guerre !

Il garda le silence, nous aussi. Soudain, il s'exclama :

— Je serai en Californie dans deux jours.

Oui, j'ai eu de la chance. Une femme m'a fait gagner mille kilomètres. Oui, une femme, une femme entre deux âges. Oh, là ! là ! je ne l'oublierai jamais ! Un chouette de voyage !

Il parlait de plus en plus vite.

— Je l'ai même baisée, nous confia-t-il en se penchant vers nous. Une voyageuse de commerce qui vendait des chaussures. D'abord, c'était elle qui conduisait, je ne savais même pas où elle allait me déposer. Elle s'est mise à causer, à m'interroger, vous savez : caquetage et compagnie. On a roulé une cinquantaine de kilomètres et je lui ai dit : « Madame, que je dis, n'avez-vous pas dépassé l'endroit où vous alliez ? — C'est pas important, qu'elle dit, seulement je suis fatiguée de conduire. » Je dis : « Je sais conduire, Madame. — Alors conduisez », qu'elle dit. Bon, je prends le volant, et elle dit : « Racontez-moi vos aventures amoureuses. — Racontez-moi, que je dis, vos aventures amoureuses à vous, vous êtes mon aînée, Madame, et avez plus d'expérience que moi. » Le tout très poli et correct. Je ne me doutais de rien. Eh bien, je lui ai parlé d'abord de la jeune fille espagnole que je dois épouser et d'une petite Française que j'ai fréquentée. Et elle de me dire : « J'ai fait l'amour avec beaucoup de gars mais jamais encore avec un Italien. Ils sont très passionnés, les Italiens, c'est vrai, Tony ? — Oui », que je dis, et je commence à réfléchir, et elle me touche la main, et elle dit : « Je crois que nous allons rouler toute la nuit. » Alors, moi, je dis : « Vous êtes jolie, et si ça vous dit quelque chose ça me dit beaucoup. » Il se faisait tard, et elle n'a fait que m'embrasser sur le front, et moi, je l'ai embrassée, et je me la suis envoyée. Il n'y avait pas assez de place sur les sièges avant, et on l'a fait sur les sièges arrière, et lorsqu'on a terminé, elle me dit : « Tony, conduis-moi à un poste d'essence, je dois me laver. » Elle a fait sa toilette, et je me suis remis au volant, et après un moment elle a commencé à jouer avec mon machin, à le palper, et vous savez comment c'est : au bout de sept ou huit kilomètres, j'ai dû m'arrêter et recommencer toute la chose. Nous avons donc roulé et fait halte, roulé et fait halte, et nous avons recommencé huit fois, oui, mes gars, huit fois, et le matin, quand j'ai quitté la voiture je me sentais crevé comme un bébé de deux ans.

Il s'interrompit, ravi d'avoir revécu son aventure. Je me suis demandé si elle pouvait me servir dans mon travail, mais par rapport à qui ? Isabelle ? Pour quoi faire ? J'en savais assez sur son compte, un nouveau détail risquait seulement de l'altérer. Je pensai à cette autre dont la découverte était toute récente, la nuit, dans la taverne d'Ames, et dont j'ignorais jusqu'au nom que j'aurais pourtant pu lui demander, ce que j'avais omis de faire et qu'Antoine n'avait pas encore osé avec Isabelle, moi déformant la serveuse, la baptisant Mandy et la pourvoyant d'une vie sous l'aspect de sa mort. L'histoire de la voyageuse de commerce lui aurait été inutile, sauf à faire de Tony un routier qui arrête son camion au milieu de la nuit devant le café, et n'apporterait rien sinon le diminutif anglais du prénom d'Antoine. Bref, j'ai procédé à plusieurs essayages. Aucun ne me convenait, mieux valait me passer de l'histoire de Tony et de sa voyageuse que j'avais envie de garder pour mémoire, mais dans l'immédiat j'ai préféré contempler le paysage, tout en me disant que je devais d'abord jeter un coup d'œil sur Antoine.

Il était posté au sommet d'une des collines de San Francisco et parcourait la ville d'un regard scrutateur. Il commençait à la connaître. Certains quartiers lui étaient devenus familiers. Il y avait passé des jours et des nuits à rôder, s'enquérir, mettre son esprit à la torture, mais rien ne prouvait que cela suffisait, une maison fouillée de la cave au grenier pouvait une heure plus tard devenir lieu d'asile ou cachette, toute rue explorée méritait autant de soupçons qu'une rue nouvelle. Aucune déduction, aucun raisonnement ne profitaient, et mes suggestions ne valaient pas tripette puisque je n'avais encore jamais vu la ville de mes propres yeux, seulement à travers mes lectures. Il ne restait que l'effet du hasard avantageux ou défavorable. Antoine s'interrogeait, et je ne pouvais lui venir en aide.

Comme d'habitude à San Francisco, il fallait baisser la tête pour voir à ses pieds, à l'extrémité des rues en pente raide, la baie. Quelques îlots, deux bateaux-citernes, une demi-douzaine de cargos, des mouettes, en l'air ou posées sur l'eau et se laissant flotter. Un ferry solitaire croisait le golfe qu'entouraient les collines, brûlées par le soleil, jaunes et brunes, rarement tachées de vert. Et, çà et là, quelques traînées de brume dont il n'était pas clair si elles venaient du Pacifique ou se dirigeaient vers lui. Les sirènes se taisaient, déjà ou encore.

C'est sans doute le tangage du ferry qui s'approchait et peut-être les nuages transparents qui rappelèrent à Antoine son arrivée, sa traversée de la baie, sa rencontre avec Isabelle. Il ne savait pas si elle habitait San Francisco ou ne faisait qu'y séjourner, ni même si elle y était encore. Il avait pris l'habitude d'obéir aux inspirations du hasard, comme celle de continuer à se questionner faute d'avoir trouvé une réponse. Les yeux sur le ferry, il se demanda : « Quel bateau prendrons-nous ? » pour se répliquer : « Le même que pour arriver », et se faire observer aussitôt : « Je me trompe, il ne s'agit pas de moi. Quel bateau va-t-elle prendre ? » La solution était imprévisible, donc le problème insoluble. Il aperçut l'autobus qui descendait au port, courut vers l'arrêt, et en même temps décela une autre erreur; il avait pensé : « Nous prendrons », au lieu de se dire pour renforcer le rôle du hasard : « Je prendrai le premier bateau en partance, quelle que soit la direction, le même que pour venir ou un autre, mais à condition que ce soit le premier à partir dès que je monte à bord sans m'assurer si elle monte avec moi. »

Il n'en sut rien tellement épaisse était la foule de voyageurs, arrivant au moment où le ferry était sur le point d'appareiller, et tout le monde courait ou se pressait déjà sur la passerelle. Antoine fit comme les autres, voyant devant lui seulement des nuques et des épaules. Il n'avait distingué que le nom de la localité où le ferry devait se rendre et qu'il ignorait.

Le pont était surchargé comme le jour de son premier voyage et de la rencontre. Maintenant il avait une raison de passer en revue les visages de ses compagnons de traversée, mais ils étaient trop nombreux, lui offrant un horizon étroit et en zigzag. Ceux qu'il pouvait distinguer lui étaient tous étrangers. La plupart semblaient se connaître, un peu ou beaucoup, se rapprocher les uns des autres et former de petits groupes, comme s'ils obéissaient aux règles de la capillarité.

Antoine avança d'interstice en interstice. Personne ne le reconnaissait, il n'apercevait aucun des personnages qu'il avait croisés dans le courant de ses recherches. Il y avait plus d'hommes que de femmes, toutes dissemblables de celle qu'il s'efforçait de découvrir. Il se fraya un passage jusqu'à la rambarde de l'arrière, se pencha pour inspecter les profils à droite et à gauche, ne reconnut personne, sauf quelques mouettes. Il s'efforça de revenir sur ses pas, suivant les méandres de la foule. Les habitués du voyage avaient déjà repris leurs vieilles habitudes : les uns jouaient aux cartes, les autres échangeaient les nouvelles de la Bourse, quelques-uns, plus rares, lisaient le journal. Toutes les places assises étaient occupées, les mêmes par les mêmes. Antoine s'aperçut qu'une seul restait libre et que personne ne s'y asseyait, au contraire, tout le monde la contournait en gratifiant l'espace vide d'un regard attentif et grave. Au delà, Antoine entrevit une silhouette de femme dont l'aspect lui sembla familier. Il n'en distinguait que certains détails. Dire qu'il les reconnaissait devait être exagéré, ils ne formaient pas un tout, le reste du corps disparaissant derrière d'autres voyageurs; il était tout au plus hors de doute que ces éléments ne lui étaient pas étrangers. Etait-ce l'effet d'une ressemblance ou de la mémoire, comment le savoir ? En l'appelant par son nom d'Isabelle ? Rien qu'en y pensant, il faillit partir d'un éclat de rire.

Il n'y avait qu'à se faufiler dans sa direction et s'installer sur le siège inoccupé. Antoine s'approcha, réussit à contourner un groupe d'une demi-douzaine d'hommes d'un certain âge, chacun porteur d'une lourde serviette se fermant à clé, et qui s'entretenaient bruyamment au sujet d'une connaissance commune. L'un d'eux racontait :

— ... du café vert du Nicaragua et du Honduras, des ananas de Hawaï, du sucre brut de Cuba, il importait tout, et si on lui demandait des bananes d'Amérique centrale ou offrait des épices des îles du Pacifique, il ne disait jamais non.

— Je me souviens du dimanche où, dit un

autre, et il s'interrompit, les yeux sur Antoine qui venait de s'asseoir à la place libre.

Il ne dit rien, mais fit un geste de la tête, et ses compagnons, suivant la direction de son regard, semblèrent surpris et choqués. Ils gardèrent le silence, les uns faisant la moue, les autres haussant les épaules. Antoine se rendit compte qu'ils lui en voulaient, essaya de comprendre, se demanda s'il avait occupé un siège que les six hommes s'étaient offert les uns aux autres et que tous avaient refusé en témoignage de courtoisie réciproque, et pourquoi le lui reprochaient-ils, à lui qui ne connaissait personne ? Il pensa se lever et le leur offrir à son tour. Ils avaient repris leur entretien mais parlant à voix basse comme s'ils tenaient à ne pas être entendus. Antoine s'impatientait. Il craignait que la jeune femme appuyée au bastingage et qu'il ne voyait toujours pas de côté mais de dos ne s'éloigne et ne disparaisse, et comme les porteurs de serviettes échangeaient toujours des chuchotements et ne pouvaient s'empêcher de jeter des coups d'œil dans sa direction, il se leva et, d'un geste de la main dirigée vers sa place, indiqua avec un sourire qu'il la leur cédait.

Les messieurs semblaient gênés. Ils parlèrent en même temps, s'excusèrent, remercièrent, expliquèrent que personne n'avait l'intention de s'asseoir. L'homme qui avait parlé le premier finit par dire :

— C'est une coutume. On n'occupe jamais la place où, à chaque traversée, s'installait un ami. Il s'interrompit avant d'ajouter : C'était un ami, et tout récemment.

Il hésita de nouveau, toussota avant d'expliquer que leur compagnon de traversée venait d'entreprendre le voyage dans son brouillard personnel et final.

Les hommes s'inclinèrent, murmurèrent des civilités, Antoine salua, s'éloigna, réussit à atteindre le bastingage, se pencha en avant, tourna la tête et rencontra le regard d'Isabelle.

C'était bien elle. A cela, il n'y avait aucun doute. Chaque nouvelle fois que le hasard venait de les assembler — il serait plus juste de dire « ensembler » — Antoine retrouvait les anciennes correspondances et découvrait de nouvelles particularités. Au début, elles étaient évasives, variables, rendant les retrouvailles aléatoires : tel trait retenu s'effaçait, tel autre se modifiait, et le tout devenait un mélange de doutes et de certitudes. Mais l'accumulation des rencontres affermissait la mémoire, chaque nouvelle fois il hésitait moins que les précédentes, se laissant guider par les quelques indications dont il avait pris l'habitude — et les miennes devenaient de plus en plus précises et détaillées —, substituait à la vision une image imaginaire. Contrairement à la précédente rencontre au sommet de la falaise, face à l'océan, Antoine ne devait pas deviner la présence d'Isabelle en s'interdisant de la regarder; cette fois-ci la distance entre eux était un peu plus grande, trois personnes les séparaient, mais il faisait jour, le ciel était clair, la brume fine.

Elle suivait des yeux devant elle les mouettes qui ouvraient les ailes pour se poser sur l'eau et s'envoler de nouveau. Antoine recula, se glissa de côté, s'approcha d'Isabelle par derrière et, s'arrêtant tout près d'elle, lui chuchota son nom à l'oreille. Elle ne se retourna pas, ne tressaillit pas, n'esquissa pas le moindre mouvement et dit :

— Oui.

C'était la première fois qu'il entendait sa voix qui était neutre et tranquille. Peut-être ne s'était-elle pas étonnée que quelqu'un l'appelle, peut-être savait-elle que c'était lui, l'ayant déjà aperçu, et que sa présence la laissait indifférente. Il était sur le point de s'enfoncer dans une mélasse de conjectures, concernant leurs rencontres de jadis et d'ailleurs, que lui croyait avoir eu lieu et qu'il avait dû oublier, mais la voisine d'Isabelle se dégagea pour s'éloigner, et Antoine s'empressa de prendre sa place. A présent, ils s'appuyaient au bastingage côte à côte, ce qui ne leur était encore jamais arrivé, à en croire la mémoire d'Antoine.

L'événement qu'il anticipait n'eut pas lieu. Tous deux contemplaient la baie et le pont du Golden Gate qui venait de se découper à l'horizon, aucun ne dit rien, elle comme lui semblaient calmes. Le bras gauche d'Isabelle était posé à quelques centimères du bras droit d'Antoine, ils ne se touchaient donc pas et avaient l'air de ne pas se sentir ni connaître, et si l'un ou l'autre discernait un frôlement quelconque, aucun geste, aucune expression, aucune apparence n'en témoignait. Ils s'animèrent tous deux en apercevant un troupeau de petits nuages qui passaient sous le pont, et le visage d'Isabelle s'anima lorsque retentit la première corne de brume.

Ils n'échangèrent ni un coup d'œil ni une remarque. Antoine songea à leur première rencontre, à la descente du ferry, interrompue par l'intervention du brouillard dont Isabelle avait été victime, comme lui, ou s'était servie pour le fuir. Si elle l'ignorait mieux valait ne pas l'informer, si elle le savait, il était préférable de ne pas avouer qu'il était lui-même au courant. Il alla jusqu'à la lorgner dans l'espoir de surprendre une expression particulière qui l'aurait éclairé, mais Isabelle était en train de tourner lentement la tête à la suite d'un nuage blanc qui pénétrait dans la baie. Elle se ressemblait comme d'habitude, sauf que la bouche s'était refermée aux trois quarts et que le bout du nez était légèrement retroussé. Il faillit le lui dire et pensa en même temps que cela aurait été ridicule, comme l'étaient la plupart de ses considérations au sujet d'elle en particulier et de leurs rapports en général. Il était donc condamné au silence, ne trouvant qu'un seul mot juste et raisonnable — le nom d'Isabelle — à condition qu'il soit le début d'un récit ou d'une déclaration sinon un appel. A cet instant, Antoine s'aperçut que, depuis quelque temps, il s'absorbait comme sa voisine dans l'observation du paysage. Il ne s'agissait pas d'une contemplation immobile, mais de tant d'autres termes qui riment grâce à des terminaisons identiques et dont le sens est vague, l'errance imprévisible, le tumulte incessant, comme ceux des nuages de brume qu'Isabelle et Antoine étaient justement en train de considérer.

Il ne restait donc qu'à se taire. Les sons s'échappaient de la baie. Les bateaux étaient mis en garde et s'entretenaient. Il était nécessaire de reconnaître les voix et de les situer pour se situer soi-même, et elles s'appliquaient, hautes ou basses, bavardes ou brèves, à s'adresser la parole à des intervalles différents pour guider les pilotes qui devaient se diriger à coups d'oreille.

De temps à autre, le ferry pénétrait dans une vapeur translucide qui se dissipait le temps d'entendre le soprano d'une sirène, et on se retrouvait sous un ciel bleu au-dessus des collines. Le bateau en croisait un autre et, des deux côtés, les foules de voyageurs échangeaient des cris et agitaient les bras pour être séparés en un clin d'œil par une traînée de brume. Déjà, une nouvelle sirène éclatait, différente de celles des pompiers : on ne l'entendait pas monter et descendre mais retentir à sa plus haute intensité et se taire aussitôt. Elle devait provenir d'un nouveau ferry invisible : une fois de plus on avait plongé dans une pénombre opaque. Maintenant, ils étaient encerclés par un échange de sons de cornes et de cloches. Sur le pont, les voyageurs prêtaient l'oreille, les voix s'étaient estompées, quelques-unes échangeaient des chuchotements.

— Autant de brouillard qu'à l'aller, murmura Antoine, sans savoir s'il s'adressait à lui-même ou à sa voisine.

J'ai fait un effort pour la pousser à répondre, sans conséquence si nécessaire.

Elle ne dit rien, ne bougea pas la tête, mais Antoine qui louchait dans sa direction reconnut le sourire à peine perceptible au coin de la bouche qu'il lui avait déjà vu. Il songea une fois de plus qu'il devait engager l'entretien avec elle, aussitôt ou jamais, et comme ça lui était arrivé dans le passé, chercha un sujet, une première phrase, le mot de début, et n'en trouva aucun. Il ne savait que se taire avec Isabelle. Il la connaissait trop bien pour se permettre de lui poser des questions qui auraient été valables à l'occasion d'une première rencontre, à moins de faire semblant que c'était le cas, donc qu'il osait prétendre ne l'avoir même pas reconnue ou l'avoir oubliée. En présence d'Isabelle, il ne pouvait adresser la parole qu'à lui-même, et déjà la côte approchait. Antoine éprouva un mélange de désespérance et de soulagement.

Je vivais dans la même ambiguïté sur son compte et sur le mien propre. Nathan, qui m'avait remplacé au volant, arrêta la voiture à Rawlins pour questionner l'épicière qui avait un poste de radio.

— J'ai travaillé tout le temps, dit-elle. Je n'ai pas pu écouter les nouvelles.

Elle se rembrunit. Nous attendions qu'elle réfléchisse jusqu'au bout. Elle finit par nous confier :

— On dirait que c'est la guerre.

Nous avons repris la route. Les monts Bridger à notre droite, à gauche, le pic Bridger, plus haut que ses voisins. Le nom ne nous rappelait personne, et pourtant Jim Bridger avait été l'homme qui connaissait le mieux, par cœur et dans tous les détails, y compris les rivières et leurs gués, les montagnes et leurs cols, les déserts et leurs points d'eau, les futurs Etats-Unis.

Il n'avait pas été à l'école, n'avait rien appris, sauf ce qu'il fallait faire pour sauver quelqu'un de la faim et de la soif, de la rencontre d'une bête sauvage et d'une flèche meurtrière. Il était trappeur, traqueur, éclaireur et guide, le meilleur du Far West, il pouvait traverser au galop sans jamais s'égarer un dédale de sentiers qu'il avait visité une seule fois des années plus tôt, tuer vingt bisons en tirant vingt coups de fusil à la file, bref, il savait tout, ignorait l'alphabet et n'avait jamais su lire : il n'avait même pas l'excuse des Cherokees avant la découverte de Séquoia, du temps où ils n'avaient pas d'écriture.

Et pourtant il était capable, en venant relever une sentinelle au milieu de la nuit, de lui demander en blaguant :

— La garde était paisible ?

pour répondre à sa place :

— Pas une seule souris qui ait bougé.

Son interlocuteur n'aurait pu deviner qu'il s'agissait d'une situation qui, du côté des Rocheuses, n'était familière qu'à Jim Bridger.

C'est qu'une fois, installé devant un feu de

camp, en compagnie d'un officier, il avait demandé :

— Quel est le meilleur livre jamais écrit au monde ?

Il avait déjà dû rencontrer dans le pays sauvage qu'il explorait un trappeur, son fusil appuyé contre un arbre, n'entendant rien, ne veillant à rien, la tête baissée au-dessus d'un volume.

Le militaire qui l'accompagnait devait être surpris mais n'avait pas hésité à nommer non pas un titre mais un homme :

— Shakespeare.

Bridger partit à la recherche d'une caravane. Elles étaient nombreuses qui se frayaient un passage dans la même direction que le soleil. Il finit par dénicher le livre qu'il cherchait : il faut croire que l'officier n'était pas le seul à apprécier les œuvres de l'auteur dramatique. On raconte que Bridger l'acheta en échange d'un attelage de bœufs qui valait une fortune : cent vingt-cinq dollars. C'était un vil prix, comparé à ce qu'il y avait de plus précieux au monde : le meilleur des livres. Mais Bridger était toujours illettré et engagea un garçon qui devait lui lire à claire et intelligible voix les drames dont il n'est pas toujours aisé de saisir les tenants et aboutissants mais qui en valent la peine. Ils se fixaient dans sa mémoire avec la même facilité que les méandres des rivières, et il aimait les réciter aux amis et leur raconter ces histoires dont lui-même aurait pu être un personnage et qu'il accommodait à sa manière, en saupoudrant la langue shakespearienne avec le patois du Far West.

Bridger croyait aux fantômes, était superstitieux, acceptait les présages, bons ou sinistres, se fiait aux rêves et aux prédictions. Il attachait confiance aux pratiques de magie des Indiens comme il interprétait à sa manière celles des sorcières de *Macbeth* et racontait d'autres légendes qu'il inventait lui-même, telle l'histoire des oiseaux pétrifiés qui chantaient des chansons pétrifiées, et du gouffre profond que lui, Jim Bridger, savait franchir parce que la loi de la gravité avait été pétrifiée.

Les personnages de Shakespeare emplissaient un monde où Bridger vivait lui-même : une forêt, une plaine, autre part de la plaine, autre champ de bataille, autre part du même champ. Les noms des villes n'avaient aucune importance : il n'y en avait pas encore dans le Far West, et Bridger traçait des rivières à travers le récit et y plantait des arbres qui lui étaient familiers, et tant pis si les héros portaient des noms historiques. Bridger avait fait leur connaissance chez Shakespeare, et c'était d'eux qu'il avait gardé le plus précieux souvenir en vieillissant. Personnage shakespearien lui-même, il était devenu à moitié aveugle, aimait se promener à cheval, accompagné de Sultan, son vieux chien, s'agenouillant dans les champs pour tâter, faute de voir, les épis de blé et s'assurer qu'ils poussaient; le reste du temps il demeurait assis dans la véranda, toujours tourné vers l'ouest, le menton appuyé sur la canne. Il regrettait par-dessus tout les montagnes que ses yeux ne distinguaient plus, parce que de là-haut, disait-il, tout se présente à perte de vue, et lui n'avait pour compagnie que sa mémoire et Shakespeare qui voyait plus loin encore.

Il n'était pas le seul. Du temps où Bridger était jeune homme et Séquoia avait déjà inventé son écriture, un grand examen d'écoliers cherokees eut lieu en public, à Creek Path, et il se tint en anglais. Deux garçons avaient appris par cœur et récité à tour de rôle l'un le discours dur, intègre et droit de Brutus, l'autre celui de Marc Antoine, ingénieusement sentimental et astucieusement flatteur. Parents, voisins, pasteurs, Blancs et Peaux-Rouges écoutaient les deux petits Cherokees déclamer les harangues de *Jules César*, et Shakespeare conquérait l'Amérique.

Nous roulions dans la nuit, à travers le pays que Jim Bridger avait sillonné en tous sens. Des bestioles croisaient la chaussée qui n'avait pas encore existé de son temps, se jetaient vers nos phares, uniques lumières nocturnes, s'aplatissaient sous les roues. Il n'y avait qu'à regarder à droite et à gauche, les rochers n'avaient pas changé, on levait la tête, les étoiles étaient les mêmes. Depuis Bridger, il n'y avait de nouveau que le ronronnement de la voiture et, à notre droite, le bassin Bridger. Devant nous, un petit village, Bridger, l'ancien Fort Bridger, que son constructeur avait érigé un peu moins de cent ans plus tôt. Ici la piste d'Oregon, qui venait du Missouri et que nous avions suivie, rencontrait la piste Cherokee que j'aurais dû parcourir depuis le Colorado si j'avais été mieux informé au sujet de la tribu dont j'étais censé descendre.

Nous avons emprunté une troisième piste qui filait à l'ouest, celle des Mormons. Le plateau avait pris fin, cédant place à des montagnes. Le chemin traversait un cañon. La nuit approchait quand nous avons pénétré dans Salt Lake City.

J'aspirais aux informations. Au bureau de renseignements de la secte locale, j'interrogeai Calvin W. Richards, mormon et dentiste. Faute de nouvelles plus fraîches, il m'expliqua que tout avait été prédit dans la Bible : la guerre et le reste. Il se référa à l'Evangile selon saint Matthieu qui cite les paroles du Christ, annonçant que la détresse sera si grande qu'il n'y en a point eu de pareille depuis le commencement du monde, et finit par conclure :

— Je n'ai jamais eu l'impression que la paix était permanente.

Au guichet de poste restante, l'employé me tendit une lettre qui m'attendait. Il demanda :

— D'où vient-elle ?

— De France.

Il dit sur un ton grave :

— Vous n'êtes pas obligé de rentrer chez vous à la hâte. Les Américains ont dû fiche le camp de Paris, mais vous feriez mieux de rester à Salt Lake City.

Et, m'évitant du regard :

— La guerre finira par venir.

Je m'informai s'il y avait un consulat français. L'homme, qui vivait au pays des Saints du dernier jour, haussa les épaules.

Il était dépeuplé, ce pays. Nous avons roulé le long du Grand Lac Salé, et comme sur les pistes des caravanes les ossements des chameaux, sur la nôtre les cadavres rouillés des autos pourrissaient dans les réverbérations éblouissantes du désert de sel. Nous avons quitté l'Utah pour pénétrer dans le Nevada où les rares habitants demeuraient introuvables. Sur la planète Terre, la guerre s'était peut-être déclenchée, nous demeurions sans nouvelles, et en découvrant, au milieu d'un espace desséché, encerclé de montagnes, une nouvelle bourgade et lisant son nom, je me dis que c'était une réponse à notre angoisse. Elle s'appelait Valmy.

Ses dix-heuf habitants vivaient dans une demi-douzaine de cabines et se fournissaient dans une maisonnette qui était une épicerie et un bureau de poste. J'ai interrogé l'épicière-postière. Elle ne savait pas pour quelle raison l'endroit portait son nom, si c'était à cause de l'origine de ses premiers habitants, comme elle ignorait jusqu'à l'existence d'une bataille où les sans-culottes avaient battu les Prussiens. Et pourtant le bourg le plus proche, qui était situé à quelque vingt-cinq kilomètres, s'appelait d'une manière pertinente Battle Mountain : Mont Bataille. La bonne femme était au courant d'une guerre plus immédiate mais, faute de nouvelles, ne disposait que d'expectative.

— J'espère, dit-elle, et elle se tut, à la recherche d'une formule. J'espère, répéta-t-elle, que nous n'irons pas à la guerre.

Je logeais à la même enseigne. Mes espoirs s'effilochaient. Chaque jour valait moins que la veille. Comment prévoir qu'un an plus tard, au château de Vincennes, nous, canonniers et chauffeurs militaires, serions témoins du début de la guerre ? Du matin au soir, tout le monde allait jouer aux cartes, et moi, selon mon habitude, passerais mon temps à lire. Je me souviens encore d'une aube où, dans la foule du premier métro, un lieutenant a regardé, par-dessus mon épaule de soldat de deuxième classe, un volume ouvert et s'est exclamé :

— Vous lisez Proust dans le métro ! C'est déjà si dur à lire chez soi !

Les mois s'écoulaient. Nous allions abandonner Vincennes pour promener nos officiers à travers la France, beloter et rebeloter. Je prenais des notes et poursuivais mes lectures. La drôle de guerre n'était pas drôle. J'ai relu la bataille de la Moskova dans Tolstoï et celle de Waterloo vue par Stendhal. Puis vint la guerre tout court.

Je l'ignorais encore. Nous roulions à travers un pays désertique. La route toute droite conduisait à l'horizon et semblait interminable. Celle que je me représentais ondulait. Isabelle s'éloignait sans regarder dans la direction d'Antoine, sans

chercher à se dissimuler, sans se presser. Il ne
pouvait prendre la liberté de la suivre de près
ni risquer de la perdre. Au début, les piétons
étaient nombreux, Antoine pouvait avancer,
perdu parmi d'autres, d'autant plus qu'Isabelle
ne se retournait pas. A mesure qu'on marchait,
il y avait moins de monde, et Antoine ralentit
le pas, en attendant des tournants pour jouer
des jambes et se rapprocher. Le paysage changeait
d'aspect, un nouveau virage, Antoine se hâta,
mais en vain : Isabelle avait disparu. Il chercha
du regard, n'apercevant que des cimetières dissemblables qui se succédaient.

Le sol commun était le même, les pompes,
les offrandes, les superstitions diverses. Antoine
commença par chercher; toutes les silhouettes
qu'il apercevait n'étaient pas celle d'Isabelle. Il
avait beau arpenter des gazons, des allées, changer
de continent et de siècle, contourner des familles
affligées et des amis plaintifs, vêtus de noir des
pieds à la tête, pour tomber sur un groupe de
femmes, toutes habillées de blanc, avec des
expressions intraduisibles; Isabelle n'était nulle
part. Il s'arrêtait devant des tombes signalées par
des poteaux de bois carrés au sommet pyramidal,
et ne pouvait se rendre compte qu'il s'était
égaré dans le cimetière japonais, étudiait les
photographies émaillées des défunts fixées à leurs
pierres tumulaires sans se douter qu'il traversait
le Parc commémoratif de l'Eglise orthodoxe
grecque. Il y avait des tombeaux autour desquels
des couples plantaient des fleurs ou taillaient des
bordures vertes à l'occasion d'une fête ou de
l'anniversaire d'un départ, d'autres dont les lis
ou les roses étaient fabriqués en terre cuite ou en
matière plastique, ce qui évitait tout entretien.
Antoine se demanda où il avait le plus de chance
de retrouver Isabelle qu'il croyait française, il y

avait bien à San Francisco une colonie de Basques venus de France, mais si les Italiens disposaient de leur cimetière avec des caveaux de famille dont on pouvait pénétrer au fond de certains et contempler à travers les glaces les restes des disparus, les Français tenaient moins à la mort en commun, il y en avait sans doute certains qui étaient satisfaits de la nécropole catholique avec sa chapelle chargée d'ornements et d'autres qui s'accommodaient du Jardin des Cyprès, le plus ancien et le plus vaste de tous les lieux de repos, ouvert aux dépouilles de toutes les confessions, au milieu des pelouses et des massifs d'arbres. Relation, connaissance ou amie, Isabelle était peut-être venue y rendre visite à un homme ou une femme qu'elle avait bien connu en France. En France ou ailleurs, se dit Antoine poursuivant ses pérégrinations à travers les collines californiennes où dormaient les San-Franciscains dont les premiers étaient venus il y avait moins d'un siècle pour chercher de l'or, faire fortune ou choir dans la misère et s'en aller les pieds devant.

Justement un cortège venait de s'arrêter à l'entrée d'un autre cimetière qu'Antoine n'avait pas encore parcouru. De loin, il pouvait entrevoir les nouveaux arrivants, tous des Chinois. Il faillit s'éloigner, se rappela sa visite à Chinatown, se revit au musée des personnages de cire, scruta les visages dans un mélange d'espoir et de déception, s'attendant à découvrir parmi eux Isabelle qui l'attirait et le fuyait en même temps.

Au commencement du cimetière, s'élevait une sorte de châsse avec deux âtres dans lesquels on voyait des flammes. Quelques jeunes Chinois étaient en train de jeter dans le feu des découpages en papier reproduisant des maisons, des domestiques, des billets de banque qui avaient dû servir, pendant leur voyage depuis Chinatown et jusqu'au champ de repos, à effrayer et mettre en fuite les mauvais esprits, et que maintenant il était nécessaire de consumer. C'étaient les mêmes signes qu'Antoine avait découverts dans la devanture du magasin abandonné : au premier étage, il avait entendu les pas d'une femme qui devait être Isabelle, celle-là même qu'il faillit découvrir ensuite au musée des personnages de cire où, une fois de plus, elle s'était laissé reconnaître, croyait-il à présent, pour lui brûler aussitôt la politesse.

Antoine inspecta d'un coup d'œil la pente réservée aux Chinois, qui dominait la baie. En face, la côte était habillée de brume. D'un bout à l'autre de l'eau, résonnaient les cloches, les sirènes et les cornes dont chacune se lamente, rugit, gémit ou hurle à sa façon et qui, tous les jours, hiver comme été, sont la voix commune de San Francisco.

Je ne l'avais encore jamais entendue. Nous étions ailleurs. Le paysage ne ressemblait à aucun autre. Pas d'habitants, pas de champs, pas d'arbres. Les rochers étaient déboisés, le désert privé de sable. Les couleurs elles-mêmes étaient extravagantes : l'herbe violette, la poussière vert olive. L'horizon était rond comme si nous le regardions du milieu d'une petite planète recouverte d'un ciel dans lequel tous les temps — le nuageux, l'ensoleillé, l'orageux — étaient simultanés. Il suffisait de tourner la tête pour obtenir celui que l'on préférait. C'est par hasard que je choisis la tempête. Elle se taisait encore, mais les nuages étaient noirs, et, sur ce fond invisible, une figure tellement familière que j'aurais pu la décrire avec précision dans tous les détails, même si elle était absente. La tête tournée à gauche, elle me regardait. Il n'en est pas de plus ressemblante. Ce qui compte par-dessus tout c'est les yeux. Au premier abord, on voit le visage entier et on redécouvre la beauté de la fille si l'on aime cette beauté. Puis on est attiré par la bouche, en particulier par l'épaisseur de la lèvre inférieure. Et inévitablement le regard efface tout le reste, ce regard d'une jeune femme qui tourne la tête juste autant qu'il faut pour vous considérer droit dans les yeux comme le faisait celle que je n'avais jamais rencontrée et dont seul le portrait m'était habituel, que Vermeer avait peint dans la deuxième moitié du dix-septième siècle, sans doute le portrait d'une de ses filles dont j'ignorais jusqu'au nom et qu'Antoine avait appelée Isabelle, qui se détache sur le fond de la toile, vivace et vivante, comme sur les nuages que j'avais devant moi.

Cette rencontre à l'extrémité des Rocheuses ne m'a pas surpris : j'avais connu la jeune fille dont j'ignore jusqu'à l'âge — quel âge a la fille de Vermeer ? seize ans ? — à Paris et pris l'habitude de la revoir souvent et partout, simplement de mémoire. Si elle est apparue à San Francisco, j'en étais responsable et si, à sa suite, j'y avais placé Antoine en lui cédant une fraction de ma mémoire du tableau que je connais par cœur, c'était pour qu'il croie la reconnaître et lui vienne à l'aide si nécessaire. Je comptais sur sa compréhension jusqu'au moment où il m'a désobéi, s'élançant dans la recherche du nom de la jeune fille, que je lui avais suggéré de peur qu'il n'en déniche un meilleur, qui n'était peut-être pas le bon mais qui a pris si vite que moi-même je l'appelais depuis lors Isabelle en la regardant dans la prunelle des yeux.

Elle s'effaça ainsi que le fond de nuages; à leur place surgit une vaste blanchisserie prônant en lettres de feu la nécessité de laver le linge sale. Autour d'elle, des maisons de jeux illuminées, partout la foule; de petits groupes, conférant à voix basse, pointant les numéros sortants, comparant leurs martingales; la puterie faisait les cent pas devant des cafés, des restaurants, des drugstores, avec des centaines d'appareils à sous dans lesquels s'entassent des pièces de monnaie qui, à travers une ouverture vitrée, font de l'œil aux clients. Moi, je venais à l'instant de quitter Delft, une petite ville telle qu'elle était au dix-septième siècle, et que le monde entier connaît par cœur avec ses maisons et deux clochers dont les reflets tremblent dans le canal, si ce n'est une rivière, et trois taches et demie d'un jaune orange qui témoignent sans doute de la présence du soleil derrière les nuages foncés et les nuages clairs, et, au premier plan, du sable et sept habitants — deux hommes et cinq femmes — difficiles à reconnaître et dont une est peut-être celle qu'Antoine et moi appelons Isabelle puisque c'est son père qui a peint et rendu immortelle leur ville natale, la fille qui m'a abandonné, tel que Vermeer l'a représentée, jeune de seize ans, souriante mais pas à moi, au moment où je me suis retrouvé à l'autre bout du monde, à Reno, une ville de cartes, de roulettes, de dés et de sorts de toute nature, où personne ne savait et ne pouvait me dire si, oui ou non, mon pays était en guerre depuis quelques heures, car là-bas c'était déjà l'aube. Chacun dans la foule secouait le bras, prêt à jeter les dés, rien d'autre n'existait : la guerre ? quelle guerre ? Seul, un vieux marchand de journaux me dit :

— Ils ont cédé à Hitler.

Je voulais des détails. Il n'avait que les quotidiens de la veille. J'ai appris qu'on négociait dans une ville qu'on appelle Munich, que le temps était clair à Paris et à Londres, ensoleillé à Berlin. Je n'avais plus à chercher un consulat français, les dés étaient jetés sur toutes les planètes que je fréquentais.

Nous avons dormi à Reno pour nous réveiller à la première heure et courir aux nouvelles. Les tripots étaient toujours ouverts, les croupiers de jour relevaient les équipes de nuit, chaque joueur, la vue trouble, la barbe mal rasée, serrait ses dés dans le poing. Les journaux dont l'encre était encore humide annonçaient que la Wehrmacht entrait en Tchécoslovaquie. J'ai lu à la une : « Daladier salué par une France radieuse », et le début du récit : « Dans cette Europe, personne n'acclamait davantage que le peuple français lorsque, depuis l'aéroport du Bourget et tout au long du passage, devant l'Opéra et jusqu'au ministère de la Guerre, il applaudissait le président du Conseil Edouard Daladier. Nombreux étaient ceux qui pleuraient. M. Daladier était proche des larmes quand il est entré dans son bureau familier pour être porté aux nues par son personnel tout entier qui l'ovationnait bruyamment. »

Je me trouvais devant l'Opéra, le temps était beau, et Paris aussi, comme d'habitude, peut-être provisoirement. Je me suis demandé si le cortège, se rendant rue Saint-Dominique, avait descendu l'avenue ou les grands boulevards pour tourner dans la rue Royale. Le choix ne dépendait pas de la longueur du parcours; puisque la foule frappait l'air de clameurs admiratives, le ministre avait intérêt à faire durer son triomphe. Je me suis demandé si l'on mettait plus de temps pour atteindre le ministère de la Guerre en passant par le Palais-Royal ou par la Concorde. En ce qui me concernait, les hourras ne comptaient guère, j'hésitais entre l'envie de me boucher les oreilles et celle de me réconforter, et j'ai choisi l'avenue de l'Opéra, à cause du chemin à suivre et des deux vers de Malherbe :

Et la garde qui veille aux barrières du Louvre
N'en défend point nos rois.

Les lumières électriques de Reno étaient éteintes depuis longtemps. Nathan conduisait la voiture. Penché en arrière, je contemplais le ciel. Le ciel était noir. J'espérais le retour de la fille de Vermeer, me regardant par-dessus l'épaule. Elle s'obstinait à ne plus revenir. J'aurais aimé savoir si elle se trouvait dans sa ville natale de Delft ou à San Francisco où elle s'appelait soi-disant Isabelle. Pas soi-disant, Antoine disant. J'allais la revoir le lendemain si elle y était. Nous n'avions qu'à traverser la dernière chaîne de montagnes du continent, la Sierra Nevada, dont descendaient les rivières aurifères. Nous en longions une, l'Américaine, où, jadis, un charpentier, James Marshall, s'occupait à construire une scierie. Un soir, il avait lâché les eaux du bief pour faire emporter la boue. Le lendemain, il avait aperçu au fond du canal quelque chose qui brillait. Il s'était baissé pour ramasser un éclat d'un métal jaune. C'était le 24 janvier 1848, une des grandes dates dans l'histoire des Etats-Unis.

Marshall alla voir son patron, John Suter, un émigré suisse, qui devait noter dans son journal : « Il me dit qu'il avait quelque chose d'exceptionnellement urgent à me raconter, qu'il voulait me parler en particulier, et il me pria de l'emmener dans quelque endroit isolé où personne ne pouvait nous entendre. »

Ils montèrent au premier. La porte une fois verrouillée et condamnée à l'aide d'une armoire, le charpentier ouvrit la main et dit :

— Eh bien, on dirait que c'est de l'or.

Trois mois plus tard, la nouvelle parvint

jusqu'à San Francisco, une bourgade de quelques dizaines de maisonnettes construites par des Mexicains avec des briques séchées au soleil. Bientôt la plupart devaient se vider. Il n'y restait même plus cent habitants; tous les autres, pêcheurs, cordonniers et bouchers, tailleurs et prêtres, étaient partis chercher fortune.

Le 29 mai, le directeur du journal *The Californian* écrivait : « La majorité de nos abonnés et des clients qui nous donnent de la publicité ont fermé leurs portes et leurs bureaux et quitté la ville. De San Francisco à Los Angeles, des plages de l'océan à la sierra Nevada, le pays entier résonne du cri sordide : " De l'or ! De l'or ! De l'or ! ", alors que le champ est à moitié cultivé, la ville à moitié construite, et que tout est négligé sauf la fabrication des pelles et des pioches. »

Ces lignes ont paru dans le dernier numéro du journal. Le lendemain, le directeur partait, lui aussi, à la recherche de la richesse. John Suter, abandonné par tous ses travailleurs, n'avait plus pour l'aider que les Indiens, les seuls qui ne s'intéressaient pas à l'or.

Et pourtant les Cherokees auraient dû y prendre garde. On en avait trouvé des réserves en Georgie, dans la région qu'ils habitaient, et aussitôt les autorités blanches leur avaient interdit de chercher de l'or dans des terrains qui leur appartenaient depuis la préhistoire. Le gouverneur de l'Etat décréta la confiscation de ces terres qui furent distribuées au moyen d'une tombola réservée aux Blancs; finalement il fut décidé d'expulser les Cherokees à l'ouest du Mississippi.

L'armée entra en campagne. On arrêtait les hommes travaillant dans les champs, les femmes occupées à tisser ou à faire la cuisine, les gosses en train de jouer. Pour prévenir les fuites, les militaires encerclaient les maisons; aux heures de repas, les familles installées à table voyaient la porte d'entrée voler en éclats et des soldats envahir la pièce, baïonnette au canon. A coups de crosse et d'injures, on précipitait les Cherokees dans les camps de concentration qu'on venait de construire.

Les Blancs n'attendaient pas le départ des prisonniers pour emmener leur bétail, vider et incendier leurs maisons, envahir les cimetières cherokees et ouvrir les tombes dans l'espoir d'y trouver des boucles d'oreilles en argent et d'autres objets de valeur. Le général Charles Floyd, chef de la milice de Georgie, devait écrire au gouverneur de l'Etat : « J'ai le plaisir d'informer Votre Excellence que je suis convaincu qu'il n'y a plus un seul Indien dans le territoire placé sous mon commandement... Mes patrouilles de reconnaissance ont battu la campagne tout entière sans rencontrer un seul Indien ou des traces récentes d'Indiens... Personne ne peut échapper à la vigilance de nos troupes. La Georgie jouit enfin de ses droits dans le pays cherokee. »

Près de dix-sept mille hommes, femmes et enfants vivaient dans les camps et mouraient d'excès de chaleur et des effets d'une nourriture polluée. Puis ce fut le départ. Ils étaient treize groupes, chacun d'un millier de personnes. Il y eut des déluges de pluie, suivis d'un hiver glacial. Les Indiens faisaient une quinzaine de kilomètres par jour, pieds nus dans l'eau ou la neige, ployant sous des charges pesantes. Tous les soirs, on en enterrait quatorze ou quinze. Les survivants franchirent le Mississippi, traversèrent cinq Etats et arrivèrent dans les terres du futur Oklahoma qui n'existait pas encore, en laissant derrière eux six mois, mille trois cents kilomètres de marche et quatre mille morts.

Leur déportation avait débuté le 1er octobre 1838. Maintenant nous étions le même jour de notre siècle, et la Wehrmacht pénétrait en Tchécoslovaquie. En Californie, le ciel était bleu, la chaleur plaisante, la région semblait désertique. Des ruisseaux dragués et filtrés ne semblaient attirer personne, alors que peu de mois après la découverte de Marshall, des navires bondés de passagers quittaient les ports américains de l'Atlantique pour contourner le continent jusqu'en Californie. Le périple durait six mois, huit mois, les voyageurs craignaient d'arriver trop tard, manquant un coup de chance. Il y en avait qui débarquaient à l'est de l'isthme de Panama qu'ils croisaient pour reprendre un autre bateau, prêt à les reconduire vers le nord.

La Californie se peuplait toujours davantage. Cela avait commencé à l'endroit même où Marshall s'était baissé pour ramasser dans l'eau du bief une petite chose brillante. Cinq mois plus tard, en juin, deux mille hommes s'affairaient au même endroit, sur les rives de l'Américaine. Fin juillet, la scierie de Suter n'existait plus : les chercheurs d'or qui s'efforçaient de trouver du bois pour leur outillage l'avaient mise en pièces. Bientôt une nouvelle ville devait y surgir qui allait compter treize hôtels et dix mille habitants.

Il en poussait partout où un coup de pioche, un reflet de lumière dans l'eau avait porté bonheur. C'est à peine si l'on pouvait y vivre, et les noms des hameaux étaient moins dus au hasard qu'aux événements : You Bet (Tu Parles), Murderer's Bar (Bar-du-Meurtrier), Cut Throat (Coupe-Gorge).

Je conduisais à mon tour. Autour de nous, il n'y avait ni or ni chercheurs. Le paysage semblait paisible, la nature placide, l'aventure stagnante. Le temps n'était plus où marins et avocats, fermiers et médecins passaient la journée, du lever au coucher du soleil, à remuer la batée, écuelle en bois ou sorte de poêle en fer, faite pour laver la terre qui pouvait contenir la fortune. Le sable, le gravier qu'on ne quittait pas des yeux dans l'espoir de reconnaître des paillettes étincelantes, en étaient le plus souvent privés ; on les appelait *dirt* : boue, fange, crotte ; aujourd'hui encore, en américain, *dirt* signifie et saleté et argent.

L'existence n'était pas facile. A la fin d'une longue journée de travail dans la boue, bien des chercheurs s'enrichissaient d'un ou deux dollars, de quoi acheter un oignon, pas un œuf qui valait trois dollars. Les femmes étaient rares, les enfants en petit nombre, les hommes solitaires et sentimentaux. Ils aimaient danser et boire, même le dimanche, provoquant l'indignation des pasteurs et des prédicateurs. Les nouvelles villes provisoires étaient infestées d'aigrefins, de pipeurs, de filous. Comédiens et chanteurs venaient s'y produire. Edwin Boots y a fait du théâtre. Son frère allait assassiner Abraham Lincoln, et celui dont il jouait les pièces avait mis par écrit et en scène des meurtres analogues, et ces drames fascinaient les chercheurs d'or de Californie autant qu'ils avaient captivé les trappeurs des Rocheuses, Jim Bridger le premier, et les petits Cherokees récitant *Jules César*.

Quelle guigne que Shakespeare n'ait pas eu le temps de rédiger la chronique de la découverte de l'or depuis le moment où James Marshall avait plongé la main dans l'eau d'un bief pour en retirer un soupçon de métal jaune, sans oublier la fin de son aventure. Le charpentier avait espéré faire une fortune, abandonnant son métier. Pourtant l'or lui avait été moins favorable que le bois. Il avait cherché sans cesse, trouvant à peine de quoi se nourrir. Petit à petit, il avait perdu la raison : il répétait à lui-même et racontait aux autres que tous les gisements aurifères de Californie lui appartenaient. On le montrait du doigt, on se moquait de lui. Il avait fini par s'installer dans une cabane, près de l'endroit où il avait découvert l'or, pour y mourir, fou et misérable.

Notre route ne passait pas par là. Les minuscules villes provinciales que nous devions traverser en nous dirigeant vers San Francisco avaient été, du temps de la ruée vers l'or, des métropoles dont il ne demeurait à présent qu'une rue unique, bordée de maisons à moitié désertes, avec quelques boutiques, une banque, une église. Il y avait aussi les cités abandonnées, faute de gisements à proximité : plus d'habitants, plus de fantômes, plus un chien même. Des gîtes, des souvenirs en train de s'effriter, et le silence.

J'aperçus un homme qui marchait sur le bord de la route. Il portait un sac à dos auquel il avait fixé un tamis. Dans une main, il tenait une pelle, de l'autre, il s'appuyait sur une canne ferrée.

Je ralentis, jetai un coup d'œil : la cinquantaine dépassée, des traits que la vie avait mâchonnés sans grand appétit. Je lui demandai si nous pouvions le rapprocher. Il laissa glisser sur nous un regard absent, secoua la tête, sourit. Je dis, sans préciser de quoi il s'agissait :

— Vous en avez trouvé ?

— Pas encore, dit-il. Pas encore.

Je lui souhaitai bonne chance et accélérai pour laisser derrière moi le dernier traînard de la ruée vers l'or. Cette guerre-là était terminée depuis longtemps.

Je songeais à celle qui venait de ne pas commencer, m'imaginais Antoine parlant à Isabelle, lui qui avait couru le risque de devenir soldat, comme moi, me rappelai que j'ignorais s'il s'en rendait compte et même si lui et elle s'adressaient enfin la parole, bref, je retombai dans ma préoccupation essentielle. Le moment était venu où je devais y voir clair moi-même pour la simple raison que j'étais sur le point de découvrir San Francisco.

Antoine n'en savait encore rien; il passait sa vie à faire de son mieux pour retrouver Isabelle. Il tenait à la récupérer pour des raisons qu'il n'arrivait pas à interpréter lui-même, il croyait que c'était son besoin, aussi impétueux, surprenant et inexplicable qu'un coup de foudre. Faute d'en deviner l'origine, il s'accusait d'avoir oublié une rencontre, une amitié, un arrêt du destin. Moi, je savais qu'au départ, tout cela, et lui-même, c'était mon idée, et je l'aidais de mon mieux, bien entendu dans certaines limites. Il avait tous les droits, à condition de rester discret. Au début, il n'avait jamais songé à me désobéir; du moins c'est ce qu'il me semble; s'il l'avait fait sans que je m'en aperçoive, c'est qu'il avait profité d'un moment où j'étais absent, je veux dire lorsque les menaces de guerre en Europe, lourdes comme des soldats de plomb, me forçaient à oublier jusqu'à son existence. Ces instants étaient rares et tangents à ma mémoire qu'en principe Isabelle et Antoine ne quittaient jamais. Je lui laissais le choix de certains détails, pittoresques mais sans importance, il entrait dans tel café, rencontrait un marin suédois ou un petit cireur de chaussures chinois, ça ne changeait rien, quelquefois même la chose m'amusait. Mais dès qu'il s'agissait d'un homme qui se retournait pour suivre Isabelle des yeux, je me mettais en garde; d'une façon générale, si c'était Isabelle qui apparaissait, ne fût-ce qu'à distance, j'intervenais. Pourquoi ? Par excès de circonspection, sans doute, mieux valait s'égarer dans cette direction

qu'en sens contraire, à moins d'avoir la patience
de détortiller ses pensées. Je m'y suis employé,
par saccades et par échappées, pour retomber
aussitôt dans l'embrouillamini de souvenirs : j'ai
la malchance d'avoir une excellente mémoire.

Par exemple, ma première rencontre avec
elle, mais avant d'en parler je cherche comment
je vais l'appeler. Pas son vrai nom : il ne concerne
personne et n'explique rien; en plus, ça risque
de provoquer chez certains — je veux dire
chez Antoine — de la curiosité, des réactions
fâcheuses que je préfère éviter. Donc je me mets
à inventer un prénom en m'attachant à en trouver un qui ne soit pas trop rare, la singularité
éveillant des soupçons. C'est d'autant plus sca-
breux qu'à l'égard de tout nom chacun a une
attitude particulière; plus il est courant, plus
elle est personnelle et plus vite surgissent
des réminiscences : un camarade de classe ou
de régiment, la grand-mère ou le premier amour
et tout Jean, toute Marie, quelle que soit la
personne qui le porte, attire, indiffère, dépré-
cie, et il faut un certain temps pour que le nom
familier d'une nouvelle connaissance change de
couleur et de poids. Je n'ai jamais entrepris
de me figurer le passé d'Antoine, j'ignore donc
ses goûts et cherche des appellations à mi-chemin
entre les plus courantes et les plus exceptionnelles,
comme je l'avais déjà fait en lui suggérant celle
d'Isabelle pour la fille de Vermeer. J'ai oublié
de noter que je dois prendre garde à mes propres
antécédents et à leur influence sur mon attitude
envers les étiquettes, je suppose que j'ai choisi le
nom d'Isabelle parce qu'il me plaît et que je n'ai
jamais été amoureux d'une fille ainsi baptisée.
En plus, nous sommes tous guidés dans notre
choix par certains personnages de livres, quelques-uns plus vivants que nos connaissances

— Ariane ma sœur, Roméo et Juliette — et cette multiplicité des influences rend leur résultat déconcertant.

Donc, pour moi, ni Marie, ni Louise, ni Anne, mais pour Antoine ? J'hésitais. Les plus infréquents, je les ai rejetés, les plus ridicules également. J'ai essayé les intermédiaires, ceux que moi et Antoine considérions comme tels. Je me méfiais de mes présomptions, de mes penchants, de mes préjugés : j'en avais à revendre. J'ai tourné autour des noms de femme sans me décider — Barbara, oui, Varvara, oui, mais que faire de Barbe ? — lorsqu'en ouvrant un journal et en parcourant les faire-part, je me suis heurté à un prénom et j'ai su aussitôt que c'était, que ça avait toujours été le bon, le vrai : Cécile. J'en ignore la raison : j'en ai connu quelques-unes, peu nombreuses, qui l'ont porté, et aucun souvenir d'aucune sorte ne s'y attachait, ni la couleur des cheveux, ni les circonstances d'une rencontre, ni même la tournure d'une phrase. Je me suis interrogé, j'ai flotté, je me suis renseigné, et j'ai eu la surprise d'apprendre que cette désignation appartenait depuis des siècles à la même personne, peut-être imaginaire : sainte Cécile, dont il existe plusieurs portraits, et dont j'ai dû, sans m'en rendre compte, en avoir aperçu deux puisqu'ils sont ou ont été accrochés au Louvre. Les peintres ne pouvaient pas la représenter de nature ; se sont-ils inspirés les uns des autres ? Tous l'ont montrée jeune et belle mais toujours dissemblable comme l'auraient été leurs modèles s'ils s'en étaient servis. Qu'est-ce qu'elles ont en commun ? La musique : sainte Cécile joue toujours d'un instrument pour adresser sa supplique au ciel, comme le veut la légende. Les instruments sont divers : orgue, harpe, basse de viole, tambour de basque, et de toute façon ce n'est pas ce que je cherche. Je veux savoir si elle ressemble à la fille de Vermeer. Celle de Raphaël la précède d'un siècle, trois encore ont le même âge, sans parler de nombreuses autres qui existent sans doute mais que j'ignore. Je tâtonne : Le Dominiquin et Pierre Mignard ont coiffé leur Cécile d'une sorte de turban, et si je l'ai entrevue au Louvre et retrouvée dans ma propre mémoire en rencontrant le nom de Cécile, j'ai dû le rapprocher de celui d'Isabelle. Bref, Cécile. Donc, Cécile.

Du temps où je n'allais plus en classe, depuis peu, et que j'ai connu Cécile, j'en suis — je ne dirais pas tombé amoureux, ce n'était pas une chute — mettons, j'en suis devenu petit à petit amoureux. J'étais d'un âge où l'on est en même temps jaloux et timide, il me fallait plusieurs semaines pour oser lui téléphoner, me servir d'un prétexte et obtenir un rendez-vous, ou m'enfermer dans ma chambre et souffrir en silence parce que j'avais appris par hasard qu'elle sortait avec un autre, ou bien passer des heures, un soir d'hiver, sous sa fenêtre, dans l'espoir de la voir qui l'ouvrait et se penchait dehors, moi-même dissimulé sous la porte cochère d'en face pour éviter qu'elle m'aperçoive, ou encore la suivre à distance sortant de chez elle pour passer la soirée chez des amis, l'attendre patiemment, et quand elle rentre chez elle m'attacher à ses pas sans qu'elle soupçonne ma présence, et moi, je me perds dans des espaces imaginaires au milieu desquels elle est attaquée et je me précipite à son aide. En d'autres mots, j'ai réussi à la voir environ trois ou quatre fois par an, au hasard ou grâce à mon audace, avec la longue interruption des vacances, et personne, ni elle et ses amis, ni les miens, ni même nos amis communs n'avaient aucune idée de mon amour pour Cécile. Du moins j'en étais certain, n'en parlais à personne, mais prenais des notes. Il n'était pas question d'un journal intime, j'écrivais déjà, et mon histoire risquait de devenir une histoire d'écriture.

Un jour, je me suis trouvé, pour la première fois de ma vie, en Hollande, à La Haye, et j'y ai visité une maison parce que j'avais lu Proust et voulais voir la *Vue de Delft*. Je suis monté dans la pièce — c'est une pièce, pas une salle de musée, Dieu merci —, j'ai aperçu la toile, cherché et trouvé le « petit pan de mur jaune avec un auvent, petit pan de mur jaune », comme Proust le fait dire à Bergotte après avoir écrit lui-même : « un petit pan de mur jaune », mais malgré cette triple exhortation, j'ai glissé des yeux à travers des rayons de soleil éclairant le vol des poussières, et, soudain, oubliant le paysage, me suis immobilisé : par-dessus l'épaule, la jeune fille au turban de Vermeer me regardait dans les yeux.

Je l'ai déjà décrite à plusieurs reprises mais toujours en pièces détachées. Je vais donc procéder au montage, bien entendu de mémoire : il se peut que je passe sous silence ou appuie certains traits à cause de mes prédilections.

Il s'agit d'Isabelle. Elle regarde par-dessus le bord de l'épaule gauche, au delà du bras, la tête légèrement penchée de côté, la bouche entrouverte, la lèvre inférieure plus épaisse que l'autre. Le lobe qu'on devine soutient une boucle avec un soupçon de bleu et un reflet lumineux. Le menton semble large et assez court, les pommettes sont saillantes, le front, à moitié caché, est rond, mais tout cela il faut le considérer longuement pour le voir tandis que les yeux ovales, avec leurs pupilles noires et un point de lumière dans l'iris d'un marron non privé d'un soupçon de vert, ne vous quittent jamais du regard. Examiné de plus près, le visage semble craquelé comme si en réalité celui d'une sirène était couvert d'écailles ainsi que tout son corps, mais comment le savoir puisque celle-ci est vêtue et qu'on ne la voit qu'un peu au-dessous de l'épaule. Entre parenthèses, aurais-je dû plutôt l'appeler Sirène ? Ou la sirène Cécile ? Je pourrais supposer qu'une sirène avait commandé son portrait à Vermeer de Delft, mais qu'elle n'était pas à même de respirer l'air en posant face au peintre, celui-ci avait choisi sa fille pour servir de modèle et utilisé des couleurs qui s'écailleraient légèrement dans le but de rappeler la nature de l'original en l'habillant et en s'interrompant à la hauteur de la queue, tout cela sans oublier que la sirène est réputée pour la douceur de son chant comme l'était — légende pour légende — Cécile, ce qui expliquerait mon choix de ce prénom.

J'étais donc à La Haye; ayant oublié jusqu'à l'existence, à côté de moi, du petit pan de mur jaune, je ne pouvais quitter des yeux la *Jeune fille au turban*. D'autres visiteurs admiraient le tableau, moi, je regardais une jeune fille dont j'étais amoureux en même temps que je me sentais hors de moi à l'idée que j'étais venu voir Delft, avais découvert Isabelle et retrouvé Cécile. Dans la joie de mon cœur, je me disais que comme moi Cécile avait quitté Paris pour me précéder à La Haye, remplacer son double dans le cadre et m'attendre, fidèle au rendez-vous que nous n'avions pas pris mais avions tenu.

J'ai couru à la gare et sauté dans le train de retour sans rien dire mais pensant au revoir; rentré chez moi, j'ai décroché le téléphone, composé son numéro. Cécile a répondu aussitôt, comme si elle attendait mon appel, et sembla aussi peu surprise que moi. Nous n'avons même pas dit bonjour, puisque nous venions de nous quitter; comme moi je le savais, je dis que je voulais la voir le plus vite possible — c'était la première fois que je l'avouais — et elle répondit de venir tout de suite. J'aurais dû en avoir le souffle coupé, je n'ai même pas été frappé d'étonnement, je n'ai pas dit au revoir, j'ai raccroché et je suis sorti en oubliant ou ne trouvant pas le temps de fermer la porte à clé.

Elle ouvrit la sienne au moment où j'ai appuyé sur la sonnette : elle devait se tenir sur le seuil et m'attendre. La causeuse était trop étroite et malcommode. Deux heures plus tard, Cécile dit :

— Ça fait longtemps que j'avais envie.

Je n'en revenais pas : qui l'eût cru ? pas moi. Je n'avais rien prévu, rien espéré. C'était touchant et drôle en même temps, et il en résultait un mélange d'agrément et de déception. Nous nous sommes revus, à des intervalles plus ou moins longs, avec plaisir mais sans perdre la tête d'impatience, elle toujours bien disposée sans chercher l'occasion mais en profitant si elle se présentait, moi, attaché à elle sans être amoureux, tous deux l'accoutumance en plus, la fascination de la première rencontre en moins.

C'est au bout de quelques années, à un moment où, pour des raisons de travaux et occupations courantes, y compris les vacances, nous ne nous étions pas revus depuis plusieurs mois, que j'ai reçu une lettre de Cécile. C'était la première fois qu'elle m'écrivait. Elle m'était toujours attachée, espérait maintenir nos rapports amicaux sinon intimes si j'étais d'accord, mais devait m'annoncer une nouvelle qui me surprendrait autant qu'elle l'avait surprise elle-même. Elle ne s'y était pas attendue et ne se l'expliquait pas plus qu'elle ne pouvait me l'expliquer : elle allait se marier. Elle m'indiquait un nom que je connaissais et m'embrassait tendrement.

Je n'étais pas stupéfait. A la lire, j'avais

l'impression qu'elle n'était pas amoureuse d'un autre comme elle semblait le croire, pas plus qu'elle ne l'avait été de moi, un peu davantage peut-être, ce qui s'explique au début d'une liaison et s'estompe rapidement : si je voulais renouer nos rapports, quelques mois, un an tout au plus, de patience suffiraient. J'ai reçu un faire-part, envoyé un mot, n'ai pas assisté au mariage en raison — en raison ou sous prétexte — d'un travail urgent : je devais traduire quelque chose.

Mon bureau était recouvert d'un verre épais. Au milieu reposait la machine à écrire, à sa gauche, le texte que je traduisais, à sa droite le dictionnaire. Je tambourinais du matin au soir. Un jour, j'ai cherché et trouvé la reproduction en couleurs de la *Jeune fille au turban* que j'avais ramenée de La Haye, et je l'ai glissée sous la plaque de verre, d'abord à ma droite puis à ma gauche; des deux côtés, c'est moi qu'elle regardait. Je ne me séparais plus d'Isabelle qui n'avait pas encore de nom.

Je me suis efforcé, tout en cherchant des équivalents français du texte qu'il fallait transposer, de me rendre compte à quel point la jeune fille différait de Cécile, repassant de la courbure du nez à l'arrondi de la bouche de l'une et de l'autre, sans m'apercevoir que toutes deux, que ce soit sur le portrait ou dans ma mémoire, ne me quittaient pas des yeux comme si elles étaient une seule personne. J'avais beau feuilleter le dictionnaire à la recherche d'un mot, il se cachait derrière le sourire de la jeune fille au turban, elle se moquait de moi, et je lui souriais à mon tour. Je ne sais si dans mes souvenirs elle me rappelait Cécile ou si elle l'était en effet, je n'aurais pu dire laquelle ressemblait à l'autre, laquelle m'attirait davantage, laquelle j'aimais à cause de sa ressemblance ou parce qu'il en existait une deuxième. Je recommençais à fouiller dans le dictionnaire, ne retrouvais pas aussitôt Isabelle souriante qui s'était cachée sous la reliure du volume et, sans me donner le temps de l'en extraire, tirais de ma mémoire Cécile, allongée sur la causeuse malcommode et ne s'interrompant pas de rire. A m'en croire moi-même, j'étais amoureux des deux comme si Isabelle était le vrai portrait de Cécile qui avait posé pour Vermeer de Delft dont elle ne pouvait être la fille, mais la ressemblance était telle qu'il ne pouvait s'agir d'une coïncidence puisque deux visages identiques n'existent pas plus que deux pouces portant les mêmes empreintes.

Le temps s'obstinait à s'écouler. Je passe sous silence le va-et-vient des marées hautes et basses, y compris quelques brèves aventures. Cécile ne vivait plus en France. J'en gardais le souvenir que je préférais contourner prudemment. Nous ne correspondions pas. Elle m'avait écrit — je ne sais pas pourquoi — pour me dire qu'elle attendait un enfant. Je n'ai pas répondu. Au bout de trois mois elle m'a téléphoné : j'ai reconnu sa voix. Elle avait fait une fausse couche, elle était à Paris pour quelques jours, et si j'avais envie de venir bavarder avec elle, je n'avais qu'à noter sa nouvelle adresse.

Nous avons passé la nuit dans son lit, et les dix nuits suivantes de même. J'avais l'impression que ça nous arrivait pour la première fois, et elle m'a dit la même chose sans que je le lui raconte. Nous n'avons parlé de rien d'autre, comme si tous deux côte à côte nous ne nous employions qu'à nous décrire réciproquement, avec précision et détails, ce que nous étions en train de faire, de nous faire. Je l'ai accompagnée à la gare. Elle est repartie sans me donner son adresse que je ne lui ai pas demandée.

Sur le moment, c'était facile. C'est le soir même que les difficultés ont commencé. Ce n'est pas que j'avais pris des habitudes. Nous avions passé dix nuits ensemble comme on passe une vie. Mais elle était partie, je suis rentré de la gare, et c'était la nuit de nouveau. Que je n'aie pas dormi ou me sois endormi à l'aube ne compte guère. Je me sentais comme un homme qui doit faire un plongeon de haut vol, hésite et se balance sur la pointe des pieds; moi aussi, j'essayais de piquer une tête, la mienne, simultanément en avant et en arrière. J'attirais mon attention sur le fait que mon amour était fort ancien, disloqué et faussé par la vie courante et que je m'efforçais d'en faire abstraction et de le transposer dans le présent. A l'appui, je m'offrais un choix d'images persuasives et contradictoires, avec interdiction de les opposer les unes aux autres. Je me revoyais dans une porte cochère, espérant en vain que Cécile allait ouvrir sa fenêtre, au musée de La Haye, devant le portrait d'Isabelle, et j'en passe. Je n'avais qu'à me laisser guider par mes préférences. Sage malgré tout, j'ai décidé de me séparer de Cécile, mais circonspect en même temps, je me suis dit que de toute façon, pour des raisons indépendantes de ma volonté, nous étions séparés par son départ et que je devais me défaire de son image. Donc éloigner Isabelle : tant que je la gardais, Cécile demeurait avec moi.

Il n'aurait pas suffi de soulever la plaque de verre sur mon bureau, de sortir la reproduction et de la cacher dans un tiroir, ni même de la déchirer ou de la brûler : je n'aurais eu qu'à fermer les yeux pour la revoir. Il était nécessaire que je l'écarte. J'ai envisagé diverses possibilités.

Il n'était pas question de la supprimer : elle allait sa petite bonne femme de route, à La Haye et dans la tête des gens. Il n'y avait qu'à lui offrir un autre admirateur, le plus loin possible de Cécile, pour que personne ne les aperçoive toutes deux ensemble et ne découvre leur air de famille.

J'ai commencé par chercher parmi mes connaissances. La plupart vivaient trop près, surtout à Paris, et je craignais une rencontre imprévisible avec Cécile. Il en restait quelques-uns que j'avais connus au cours de voyages fortuits. Aucun ne convenait. Alors j'ai pensé aux cités, celles que j'avais habitées et d'autres dont le nom m'attirait autant que certains noms de femme. C'est ainsi que j'ai eu l'idée de San Francisco qui était un port comme presque toutes les villes qui me séduisaient, mais que je n'avais jamais visitée et où je ne connaissais personne.

Je n'avais qu'à interroger des amis qui m'auraient procuré des recommandations. Même ça, c'était hasardeux : il était nécessaire d'éviter tout contact. Je ne me voyais pas davantage, me procurant l'annuaire téléphonique de San Francisco pour y pêcher une personne dont le nom et la profession me conviendraient. La recherche d'un tiers n'était pas facile.

C'est alors que j'ai cédé à une vieille passion : la jalousie. Je me méfiais de l'homme que je m'employais à trouver pour lui confier Isabelle. Je l'ai donc inventé. Je n'ai pas perdu mon temps à le façonner des pieds à la tête, avec toutes ses particularités. Le choix de son apparence, de ses goûts, de ses occupations, dépendait de lui-même. Je me suis borné à préciser tels aspects de lui dont j'avais besoin, en faisant abstraction du reste, comme un peintre se désintéresse du corps d'un jeune homme s'il interrompt son portrait au niveau de l'épaule. Je ne lui ai même pas donné un nom de famille dont je n'avais que faire, et lui non plus : il allait s'appeler Antoine tout court.

Il était donc quelque part à San Francisco, comme d'habitude à la recherche d'Isabelle, sans se douter de mon arrivée, et moi, j'avais déjà dépassé la Sierra Nevada, traversé la contrée des chercheurs d'or, le port, je ne le voyais pas tel qu'il était devenu, mais encore comme les premiers arrivants l'avaient décrit dans mes lectures : une forêt de mâts qui s'enchevêtraient dans la baie, cinq cent vingt-six navires désertés par leurs équipages et conquis par les rats, sans compter ceux que des gens avaient tirés à terre pour les transformer en maisons. Il y en avait un qui était devenu une église, un autre, une banque, un troisième, l'*Euphémie*, la première prison de San Francisco : ça suffit pour faire semblant d'être ville.

Je passai la nuit chez des amis de Nathan, sur un matelas posé au milieu d'une terrasse. De là-haut, je voyais toute la ville et ne pouvais pas dormir. En bas, les sommets des arbres étaient gris de brume. Des vents en tous sens déchiraient des bribes de brouillard, si petites et rapides qu'elles ne cachaient rien.

Je me suis étendu, efforcé de fermer les yeux, de songer à Antoine. Je devais m'y prendre précautionneusement, réussir à l'approcher sans risquer de revoir Isabelle et de retomber dans mon vieux va-et-vient. Je me suis relevé.

La nuit descendait. On pouvait discerner les maisons sur le trottoir d'en face, au delà, la brume se substituait au paysage. Plus tard, un point de lumière parut au loin, puis un deuxième. Quelques secondes, et des centaines de lumières plus nettes formèrent des lignes droites et perpendiculaires : le dessin nocturne d'une ville. Une demi-minute, et tout s'éteignit, de nouveau la brume.

J'ai fermé les yeux pour mieux écouter. Antoine, je n'avais pas besoin de le voir, lui que je n'avais encore jamais aperçu tout entier ni éprouvé le besoin de détailler. Entendre était plus important et plus facile, plus utile aussi. Mais à présent on ne pouvait distinguer, à intervalles irréguliers, que le sifflement des cornes de brume. Le port de San Francisco, invisible, était si ressemblant, à cette heure où je ne pouvais que l'entendre.

— Et l'autre ? dit Antoine. Pas Isabelle, mais l'autre ?

Je me suis retenu de répondre. Je lui avais bien appris à nourrir des soupçons à condition qu'ils se portent sur la jeune fille qui le fuyait sans lui échapper comme ça m'arrangeait. Je me servais du sommeil, de la brume, de la foule pour retarder Antoine comme j'empêchais Isabelle de lui adresser la parole. Quelquefois je tombais dans des contretemps, ne sachant où donner de la tête; ça semblait inextricable, et tout d'un coup je décidais de me taire, de faire taire les autres, et tout s'arrangeait comme par enchantement. J'aurais dû m'en souvenir, mais il se trouve qu'on s'obstine à chercher des mots au lieu d'en rayer le plus grand nombre, obligé qu'on se sent de tenir des discours à perte d'haleine avant de se ressouvenir de la force du silence.

Cela faisait longtemps que je ne lui avais pas parlé, et il s'impatientait. Je m'appliquais à ne pas lui prêter attention, en prenant garde d'écouter les sirènes du brouillard. J'ai même pensé :

— Vous les entendez ?

Et j'ai fait de mon mieux pour m'absorber dans les histoires de San Francisco que j'avais lues, entendues, et que j'allais pouvoir vérifier sur place. Mais Antoine, qui pourtant vivait plongé dans les mêmes, ne s'est pas laissé distraire. Il pensa à son tour :

— Et son nom ?

Et, pour m'empêcher de faire mine de ne pas le comprendre :

— Pas Isabelle. L'autre.

Je n'ai pu m'empêcher de sourire, me mettant à sa place, et j'ai eu l'impression qu'il avait souri, lui aussi, avant de répondre :

— Isabelle ou ?

J'étais sur le point de répondre : « Cécile. » J'ai évité de le faire, me disant que : qui sait ? ce nom que j'avais inventé pour une femme qui s'était éloignée et que j'avais réussi à maintenir à distance, si je le communiquais à Antoine, peut-être le ferait-il revenir dans ma mémoire, dans mes insomnies, dans mes songes ? Il m'avait toujours obéi mais depuis quelque temps j'étais sur mes gardes. Je me suis donc demandé si, au lieu de refuser toute réponse, il n'était pas préférable de remplacer Cécile par Céline. Tout nom conduit quelque part, et comme je mourais d'envie de revoir Cécile, ne fût-ce qu'au milieu de mes rêves, il n'était guère difficile d'obtenir la complicité d'Antoine : il n'avait qu'à m'imiter, passant de Cécile à musicienne, de musicienne à sirène, de sirène à Isabelle, tandis que Céline ne conduisait qu'à l'insecte ainsi nommé, de l'ordre des coléoptères, composé de quelque trois cent mille espèces. J'allais donc dire Céline et j'ai dit Cécile.

Antoine garda le silence à son tour. Le brouillard était retombé, et j'ai vu apparaître sur fond d'un ciel étoilé le pont du Golden Gate, plus vaste et plus lumineux que la Voie Lactée. Les sirènes étaient muettes.

— Cécile, dit Antoine. Isabelle et Cécile. Où est-ce que j'ai rencontré Cécile ?

Je m'empressai de répondre :

— Nulle part.

C'était la vérité, et ma voix était ferme. Il semblait inquiet, insista :

— Mais je la connais.

J'étais sûr du contraire et fis non. Il affirma :

— Si, je connais Cécile. Je n'en avais jamais connu une autre, mais la tienne, si.

Je crevais de dépit à l'entendre m'attribuer la possession de Cécile. Jusque-là, il m'avait toujours obéi, n'avait jamais tenté ni osé s'approprier une idée, une phrase, aucun objet de désir, le moindre trait de caractère. C'est moi qui décidais de tout. Depuis quelque temps j'avais des inquiétudes, m'accusant de manquer de confiance en moi-même. Que pouvait-il entreprendre contre moi à mon insu ? Si je le voulais, je pouvais l'effacer d'un trait de plume. Il devait s'en douter, moi, j'en avais la certitude. J'avais plus de force encore : j'étais à même de le façonner à ma guise, le revoir et le corriger comme ça me chantait. C'était élémentaire pour moi d'agrémenter son existence en lui faisant cadeau de l'amour de la pipe et en lui fournissant du bon tabac ou bien, une nuit d'hiver, en glissant dans son lit une femme chaude dont il venait de faire connaissance dans un café où elle avait rendez-vous avec un autre qui était en retard, ou encore, n'importe où et à n'importe quelle heure, en lui faisant lire pour la première fois un roman de Stendhal : je n'oublie pas l'effet des lectures. Comment maintenir immuable un personnage qui a lu *La Chartreuse de Parme* ? Imbécile, il osait me désobéir. Je n'avais qu'à le mettre à la raison et au pas, en lui imposant tel livre, telle dame, tel plat, en le dépouillant d'une plage de sable, d'une source d'eau glacée. J'entendis un sifflement et cherchai du regard. Le pont du Golden Gate avait disparu. Venant du Pacifique, le brouillard habillait la baie. Sur la rive opposée, les villes s'éteignaient, les dernières lumières clignotaient avant de disparaître comme l'avaient déjà fait les étoiles. Plus d'Antoine. Devinant ma colère et le poids de mes châtiments, il s'était réfugié dans les brumes de San Francisco.

A l'abri des ombres, il ne s'interrompait pas de se dire, « Elle s'appelle donc Cécile », mais le nom ne lui rappelait rien. Il en voulait à lui-même autant qu'à moi dont les soliloques visaient à nous empêcher de nous entretenir. Tout au plus Antoine réussissait-il de temps en temps à répéter les paroles et pensées de son maître, qui s'enfilaient sans cesse, lui interdisant de réfléchir par lui-même; il en était réduit à ne réfléchir que ce qu'il recevait. C'est dans les rares moments où son surveillant l'abandonnait par inadvertance au profit d'une préoccupation différente dont il réussissait à garder la nature secrète, qu'Antoine parvenait quelquefois à lancer une question, une affirmation, un aveu qui n'étaient pas mimétiques.

Il avait l'impression que le nom de Cécile était authentique : j'avais bien hésité avant de le révéler, et ce mélange d'appréhension et de perplexité prouvait qu'Antoine avait obtenu une réponse véridique. La difficulté se trouvait ailleurs : il ne connaissait pas Cécile. Il avait beau chercher, le brouillard du Pacifique lui brouillait la cervelle, et toutes ses tentatives de me forcer à me trahir en trahissant la fille ne le poussaient à rien sinon à contre-attaquer à coups de répliques habiles. Antoine n'avait de choix qu'entre la trahison de lui-même et l'obéissance, la brume était venue à son aide en le dissimulant.

Maintenant je dormais et avais droit aux rêves mais non à leur sélection : Jim Bridger, Fortinbras, même Hamlet, la fille de Vermeer, Cécile, Antoine, dans l'ordre et le désordre qui leur convenaient. Antoine n'avait qu'à interroger Isabelle, Cécile devait être sa proche, son amie, elles se ressemblaient au dernier degré, elles s'étaient sans aucun doute contemplées, s'étaient souri l'une à l'autre dans un miroir à plus d'une reprise. Comment en douter ? Elles ne se quittaient pas des yeux et se répétaient : « Que vous êtes belle ! » ce qui permettait à chacune de rester bienséante et modeste, sauf qu'elles se disaient : « Que tu es belle ! », trop jeunes pour ne pas se tutoyer. Bref, Antoine devait retrouver Isabelle.

Je l'ai su plus tard. Pour l'instant, je dormais. Le jour descendait. Les fumées des locomotives montaient sous les toits de la gare du Nord. J'étais donc à Paris. Autour de moi, la foule circulait en tous sens. Je dois avoir étudié les indications des départs et des arrivées. Je me tenais devant le quai 13, un quai qui porte bonheur ou malheur selon les circonstances et les superstitions. Je n'en savais rien, ne me sentant ni bien ni mal. J'étais au courant d'une seule chose : je devais attendre, mais qui ? faire attention, mais à quoi ? Les passants se croisaient au pas de course, chargés de serviettes, de cannes et de parapluies. Je ne connaissais personne. Les fumées formaient au-dessus de la tête de petits nuages assez bas, mais au lieu d'être blancs comme à San Francisco, ils étaient gris ou noirs. Je crois qu'à ce moment-là j'étais en train de lire un livre relié avec un dos en cuir noir tirant sur le vert et des plats de papier noir moucheté de blanc mais dont le titre n'était pas indiqué. J'en étais à un bas de page disant : « Je me heurtais à des obstacles, échouais à ». Il fallait tourner la page pour apprendre la suite mais je ne l'ai pas fait. Une locomotive s'approchait du butoir, en s'ébrouant de plus en plus lentement. C'était le train que j'attendais. Sur la plaque 13 qui annonçait son point de départ, on pouvait lire : *La Haye*. Je l'ai reconnu comme si c'était un train de banlieue que je prenais tous les jours. En même temps, j'ai ressenti un mélange de surprise et d'appréhension qui m'ont semblé naturelles. En effet, les bielles et les roues de tête, traçant leurs derniers mouvements avant de s'arrêter, se fondaient dans des échappées de brouillard. De plus en plus épais, il envahissait le quai et dissimulait les wagons. On ne voyait pas descendre les voyageurs, distinguant seulement dans la brume des épaules isolées ou un bras agrippé à une valise qui avançaient lentement vers la sortie où l'autre bras remettait son billet aux doigts d'un contrôleur également indiscernable. Mon inquiétude grandissait. J'étais tenté de m'élancer au milieu de la foule dont je n'apercevais que des fragments méconnaissables pour la simple raison que j'ignorais tous ceux dont ils faisaient partie. J'étais perdu dans un pays inconnu. J'ai senti le livre dans ma main, me suis forcé à baisser les yeux : c'était le même volume, à en juger par la reliure. J'ai essayé d'y trouver un conseil, une recommandation. La phrase commençait par les mots que j'ai reconnus : « Je me heurtais », mais la suite et toute la page étaient rédigées en une langue que j'ignorais, sauf quelques mots en latin : « *Non bis in idem* » qui signifient : *Point deux fois pour la même chose*. Ça m'a semblé utile et obscur simultanément. J'ai donc levé la tête vers une énorme horloge avec ses deux aiguilles dont la présence correspondait au texte latin, sans doute par leur nombre, auquel cas *la même*

181

chose était l'horloge ou le cadran de l'horloge. Je n'avais qu'à baisser les yeux pour voir le visage de Cécile qui passait devant moi. Le reste de son corps disparaissait dans la brume, on ne devinait même pas si elle portait quelque chose, ses cheveux étaient cachés sous son serre-tête, mais chacun de ses traits m'était familier. Je ne sais ce que j'aurais fait si ça s'était passé dans la vie éveillée, mais j'étais en train de l'apercevoir dans mon rêve. Je dormais à San Francisco, je rêvais à Paris, et entre les deux, il n'y avait en commun que la brume. Le visage vaguait et je me répétais : « Cécile, Cécile. » Le nom sonnait bien sans rien expliquer. Je me suis répondu : « Gare du Nord », et puisque je me tutoie : « Gare à toi ! » J'ai compris aussitôt : Cécile se trouvait au musée de La Haye et se contemplait par-dessus l'épaule dans le miroir accroché au mur. Je me suis dit : « Elle se regarde. » Je me suis répondu : « Elles se regardent. » Le visage flottait, embrumé, sur le quai de la gare. J'ai cherché sa réplique, ne l'ai pas trouvée. J'ai appelé : « Cécile ! » Elle n'a pas entendu ou a fait semblant de ne pas entendre. C'est alors que je me suis décidé à crier : « Isabelle ! » Ce ne pouvait être qu'elle, décrochée du mur, pas le petit mur jaune de Delft, mais celui du musée de La Haye.

Je m'interrompis de rêver pour imaginer une vision qui m'empêcherait de me laisser réveiller par les sirènes de la baie de San Francisco qui venaient de se déchaîner de nouveau. Ça dura.

Maintenant je me demande si, de retour de la brume sur une terre solide et ensoleillée, en voyant Cécile qui m'avait quitté des années plus tôt et venait de descendre du train, je me serais précipité vers elle et aurais hurlé son nom, si, à l'autre bout du monde, à San Francisco, j'aurais je ne sais quoi et ne peux le savoir parce que, malgré mes efforts, je me suis réveillé. J'étais sur la même terrasse. Le jour se levait sur le Pacifique.

Antoine n'était nulle part. J'avais beau penser à lui, il n'apparaissait pas. Je n'étais même pas capable de deviner où il se trouvait. Son image était vague. Ce qui me troublait encore davantage et même m'alarmait, c'est qu'il était sur le point de se désagréger et de se dissoudre. Certains traits de caractère s'effaçaient sans qu'il fût possible d'en deviner la raison, comme si un bras ou une jambe pouvaient se dissiper instantanément. Je me suis appliqué à le reconstituer, net et simple, comme à ses débuts, évitant d'imposer toute idée discordante. J'attirais mon attention sur le fait que je ne lui parlais jamais, pas même à voix basse et inintelligible, je lui pensais ce que je pense moi-même. J'ai réussi au prix d'un grand effort à me le figurer et le voir qui flottait, incomplet et instable. Je me donnais du mal pour le recomposer et me rendais compte aussitôt que les détails apparus n'avaient rien en commun avec les anciens et leur étaient même opposés, comme s'il était en train de se métamorphoser. Je ratais toutes mes tentatives. Je décidai alors, au lieu de lui souffler les réponses, de le laisser recouvrer l'usage de sa propre parole.

Déjà il était devant moi et j'ai eu l'impression qu'il se ressemblait davantage. Nous avons commencé par garder le silence tous deux, lui par une vieille habitude, moi par une nouvelle prudence. J'ai fini par dire (nous échangions des mots intelligibles, inaudibles, à l'intérieur de ma tête) :

— Je viens de la voir.

Je ne l'ai pas nommée.

Il s'est renseigné :

— A San Francisco ?

J'ai fait non de la tête et précisé :

— A Paris.

J'avais hésité avant de répondre, lui non. Au lieu de m'interroger, il s'est écrié :

— Cécile !

J'ai haussé les épaules. Il s'est informé :

— Elle ressemble toujours à Isabelle ?

Cette fois, j'ai répliqué aussitôt :

— Bien sûr.

J'ai même ajouté :

— Elles venaient de se voir.

Il prenait de plus en plus goût à l'interrogatoire auquel il me soumettait pour la première fois, et comme il espérait que Cécile, dont il croyait se souvenir, se trouvait dans le voisinage, il a dit, mi-question mi-réponse :

— A San Francisco.

De nouveau je flottais dans le doute. J'ai dit :

— Cécile revenait de La Haye.

Les déplacements ne surprenaient pas Antoine : lui-même s'était ébauché à Paris pour se modeler et mûrir en Californie. Il a dit :

— Pourquoi La Haye ?

J'ai expliqué :

— C'est la ville du musée où vit Isabelle.

Il semblait déçu :

— Elle vit à La Haye ?

Il s'est rasséréné aussitôt pour rappeler :

— C'est-à-dire le portrait.

J'ai souri à mon tour :

— Isabelle ne vivait pas à La Haye, elle vivait à Delft.

— C'est loin de La Haye ?

— Une dizaine de kilomètres à vol d'oiseau.

— Deux heures à pied. Et combien de La Haye à San Francisco ?

J'ai dit sur un ton évasif :

— Ça dépend.

Il a cherché une nouvelle question. J'étais gêné. Depuis que je le connaissais, il m'était toujours subordonné, je n'avais jamais besoin de le commander ni de lui conter des sornettes; c'est moi qui décidais de tout sans prévoir qu'à partir d'un certain moment il s'interromprait de m'obéir. Je croyais — j'étais persuadé — que je l'inventais, sans me rendre compte qu'il m'en laissait la responsabilité et que c'est justement en me permettant de le faire qu'il en profitait pour me contredire. J'en posais le poids sur ses épaules pour en décharger les miennes sans comprendre que j'aurais dû faire le contraire, qu'Antoine était à laisser ou à prendre tel qu'il se transformait mais je m'entêtais à garder l'un et l'autre. Au début, c'était lui qui me rendait des services et s'il en a fait usage lui-même, ce n'était pas un signe de ma reconnaissance mais la preuve que je ne pouvais pas procéder autrement, et lui non plus. Après tout, j'avais l'intention d'écrire — comment dit-on ? un roman ? — donc d'écrire Antoine et tout ce qui s'ensuit.

J'avais beau lui suggérer des questions à me poser, des aveux à me faire; il se taisait à son tour, attendant sans doute que je parle. Le soleil, rose à ses débuts, s'était détaché de l'horizon pour tourner à l'orange. Antoine me dit négligemment, comme s'il s'en allait acheter un paquet de cigarettes :

— Je vais chercher Isabelle.

Je me suis surpris à l'instant où j'étais sur le point de lui donner un ordre : c'était à croire que je le préférais en train de se désagréger. Si j'avais une réserve de réprimandes, je n'avais qu'à les adresser à moi-même. Je n'ai donc rien dit, j'ai même évité de réfléchir, et j'ai laissé Antoine libre d'agir comme ça lui chanterait.

Faute d'en avoir l'habitude, il est demeuré

en suspens. Il est même allé jusqu'à répéter, comme s'il me poussait à lui exprimer mon approbation ou mon désaveu :

— Oui, chercher Isabelle.

J'ai gardé le silence.

Il s'obstinait à obtenir mon acquiescement au moins tacite. C'était trop me demander. Je m'efforçais de ne songer à rien, sinon à autre chose, par exemple au pont du Golden Gate dont la beauté réclamait la présence de deux terres, d'un océan et d'un soleil qui monte, et Antoine, comme s'il essayait de prouver que tous deux nous pensions en même temps aux mêmes choses, a chuchoté sans rien indiquer d'un geste :

— C'est par là que vient le brouillard.

J'ai souri à peine, malgré moi, lui aussi, j'ai hoché la tête de haut en bas, et il a paru soulagé.

— D'accord, a-t-il dit.

C'était à moitié une question à moitié une mise au courant et en garde. J'ai fait semblant de ne pas m'en apercevoir, je n'avais pas l'intention de provoquer une dispute, lui non plus. J'ai dit sans m'empêcher d'esquisser un sourire dont j'espérais que le sens lui avait échappé :

— Si vous la trouvez, racontez-moi.

A son tour il a fait oui de la tête, et j'ai inspecté le paysage. Lorsque je me suis retourné vers Antoine, il n'était plus là.

Enfin je pouvais réfléchir sans risquer de le voir revenir. J'ai commencé par me souvenir de l'instant où j'avais découvert les rapports de similitude entre Isabelle et Cécile, et de mes tentatives pour les disjoindre, de ma chute dans l'amour et de la suite jusqu'à ma décision de me défaire de l'une des deux. Bref, j'avais fait don du portrait à un tiers que je venais d'inventer, et cela, croyais-je, pour des raisons de prudence, mais j'avais omis de prévoir l'essentiel : cet Antoine imaginaire. Si je lui traçais une route droite, et plate, et plane, sans montées ni descentes, sans croisements ni bifurcations, je le condamnais à se disloquer. Il ne s'agissait pas de le pourvoir d'un nom de famille, d'un choix de réflexes personnels, d'habitudes courantes; en arrivant à une fourche, il devait prendre lui-même une décision, juste ou fausse, peu importe, et aussitôt il ressemblait moins aux autres; même s'il marchait sur les pas des passants, ce degré de ressemblance engendrait sa singularité. Je ne cherchais pas un homme dont on dit qu'il n'y en a pas treize à la douzaine ni celui qu'on trouve douze fois sur douze. Je voulais qu'il vive, et tant pis pour les statistiques. Lorsqu'il avait rencontré Isabelle, je l'avais poussé à tomber amoureux d'elle sans savoir qu'elle était le portrait d'un tableau. De plus en plus épris, il devait bien chercher à la revoir : je n'avais fait que lui suggérer de suivre mon exemple vis-à-vis de Cécile dont je ne lui avais pas parlé mais que je n'oubliais jamais et ne pouvais m'empêcher, dans mon choix de conseils à Antoine, de m'imiter moi-même. Je l'avais lancé dans San Francisco que je ne connaissais pas encore, en confondant les événements, les époques, et n'y attachant aucune importance, que sa poursuite d'Isabelle se fît à travers la Côte barbaresque, disparue depuis longtemps, ou au hasard des brumes que je n'avais encore jamais rencontrées. Ce qui comptait, c'était la séparation d'Isabelle et de Cécile sur une terre, même imaginaire, mais surtout dans ma tête, avec l'aide d'Antoine.

Il s'y employait de son mieux, maintenant qu'il avait disparu sous prétexte de chercher Isabelle. J'ai facilité sa tâche, l'imaginant qui la trouve et les faisant aussitôt s'évanouir de nouveau. J'éprouvais le besoin de rester seul avec Cécile qui, elle, existait, même quand personne ne pensait à elle.

Le projet semblait facile et Antoine consentant : il n'allait pas renoncer à la chance de revoir, ne fût-ce qu'à distance, Isabelle, sous prétexte que je voulais demeurer avec une autre dont il ne savait rien sauf son prénom. Seulement je m'appliquais à lui laisser la liberté de choix, dans la mesure où le résultat m'était indifférent. Dans ce cas, l'endroit où il espérait revoir Isabelle ne m'importait guère, je n'y ai même pas songé, et lui, il a changé de ville et de saint et abandonné San Francisco où les rencontres étaient fréquentes mais précaires au bénéfice de San José et de la Maison du Mystère.

A tout hasard, j'ai suivi Antoine d'un bref regard et j'ai eu raison de le faire. J'ignorais cette construction. Vue de loin, elle donnait l'impression d'être vaste et ne ressemblait à rien. Rétrécie, recroquevillée, elle aurait rappelé une cité de poupées, et pourtant les bâtisses dominaient les treize palmiers qui poussaient devant elles. Chacune différait des autres, de hauteur et de forme; portiques, porches, terrasses, clochers, tourelles n'avaient rien en commun; en s'approchant on se rendait compte que chaque fronton, chaque corniche, chaque balustrade était dissemblable, que toute fenêtre, minuscule ou énorme, carrée ou ronde, en losange ou en ogive était particulière. Les toits en pente douce ou brusque, les uns plats, les autres en poivrière se haussaient, se chevauchaient, s'imbriquaient; il était difficile de comprendre où se rendaient tous les gens qui, ayant rangé leur voiture, traversaient le début d'un parc exemplaire et passaient par la porte que d'autres personnes franchissaient en sens inverse : la maison n'était pas assez grande pour contenir tout le monde simultanément.

Et pourtant la première silhouette que j'ai aperçue et reconnue aussitôt était Isabelle. Elle avançait d'un pas paisible comme si l'endroit lui était familier. J'ai cherché Antoine. Il la suivait mais à une certaine distance, moins par peur qu'elle lui échappe comme elle en avait l'habitude que par besoin d'apprendre où elle se rendait. Leur présence, leur comportement m'ont troublé.

Isabelle s'approcha d'un groupe d'une vingtaine de personnes et s'arrêta. Les hommes la dévisagèrent d'un air approbateur, les femmes étudièrent sa tenue tellement différente des leurs. Antoine, qui devait la juger la plus belle et la mieux habillée, resta en retrait pour ne pas être vu par elle, mais Isabelle ne regarda pas dans sa direction, elle donnait comme toujours l'impression d'être absente. J'étais tenté de croire qu'elle réfléchissait, se remémorait et souriait à son souvenir. Antoine avait le sentiment de la reconnaître mais sans en garder aucune mémoire précise, sauf celle de l'inflexion à peine perceptible des lèvres.

Une jeune femme, vêtue d'une sorte d'uniforme qui rappelait celui d'une hôtesse de l'air, accosta les touristes, annonça qu'elle allait les conduire à travers la Maison Mystérieuse des Winchester et que, vu l'heure, c'était la dernière tournée.

Le cortège s'ébranla, guide en tête. Ils étaient dix-huit, se serrant autour d'elle, impatients d'entendre les explications qu'elle distribuait sur un ton emprunté, pour les avoir apprises par cœur. Antoine glissait du regard d'Isabelle, toujours distraite, aux diverses curiosités de l'endroit : des fenêtres faisaient face à d'autres fenêtres qui s'ouvraient sur d'autres pièces, une porte si basse qu'il fallait se baisser pour la franchir en précédait une assez grande pour laisser passer un géant, un escalier montait jusqu'au plafond pour s'arrêter là, des couloirs butaient contre des murs ou prenaient fin dans des placards condamnés, des colonnes étaient plantées la base en l'air, le chapiteau par terre, toutes ces choses semblaient construites par des gens qui en ignoraient l'usage ou leur en attribuaient un qui semblait incompréhensible. La guide se bornait à offrir les particularités en spectacle. Le public admirait, frissonnait, posait des questions qui demeuraient sans réponse : la jeune femme ne s'interrompait pas de débiter son histoire, l'histoire de Sarah Winchester, veuve du fabricant du fusil à répétition qui, de toutes les armes dans l'histoire des Etats-Unis, avait abattu le plus grand nombre d'Indiens et de gibier. La dame avait perdu sa fille unique, Annie, lorsque celle-ci avait un mois, et son mari quinze ans plus tard, pour demeurer seule propriétaire de l'usine où était fabriquée l'arme à feu qui avait été la plus mortelle pendant la guerre de Sécession et la conquête du Far West. Elle chercha à connaître la raison de ses malchances, devint mystique, interrogea un médium, apprit que ses proches avaient été tués par les fantômes des Peaux-Rouges, eux-mêmes abattus à coups de winchester. Si elle tenait à les apaiser et à survivre, elle devait acquérir une maison dans le Far West et la faire agrandir sans jamais s'interrompre, car c'est à l'ouest que la majorité d'Indiens avaient été assassinés, et leurs revenants étaient innombrables. Sarah quitta ses amis, sa ville, s'éloigna de l'usine qui continuerait à tourner et lui rapporter mille dollars par jour, et se rendit en Californie pour acheter une ferme.

— Le médium a dit, expliqua la guide, qu'il y a des esprits bons et mauvais. Les bons apprécieraient favorablement l'agrandissement de la maison, travaux qui éloigneraient les mauvais.

Sarah Winchester, personne de petite taille et de grande énergie, engagea plusieurs dizaines d'ouvriers. Selon les indications du médium, les travaux devaient se poursuivre sans arrêt, même dimanches et jours de fête, d'un bout à l'autre de l'année. La pause la plus brève était dangereuse : les revenants en auraient profité pour forcer la propriétaire à faire le voyage de l'autre monde, et les coups de marteaux, les grincements de scies ne se sont jamais interrompus, hiver comme été, à n'importe quelle heure et minute du jour et de la nuit.

La jeune femme qui avait trop parlé garda un bref silence, et les visiteurs qui l'avaient écoutée en échangeant des hochements de tête et des haussements d'épaules la pressèrent de questions.

— Et combien ont duré les travaux ? s'informa un homme chauve avec une petite barbe blanche.

— Trente-huit ans, répondit la guide. Jusqu'en 1922. C'est l'année de la mort de Mme Winchester, et les travaux ont pris fin le même jour puisqu'elle ne craignait plus rien.

Tout le monde réfléchissait.

— Quel âge avait-elle ? demanda une femme.

— Quatre-vingt-trois ans, dit l'accompagnatrice.

— C'est un âge raisonnable, dit le barbichu.

Ils reprirent la marche. En trente-huit ans, on avait construit cent soixante pièces, quarante escaliers, posé quarante-sept cheminées, neuf cent cinquante portes, dix mille fenêtres. Les visiteurs s'engagèrent dans des passages donnant sur des murs de briques, examinèrent un placard à linge grand comme un logement de trois pièces et une armoire profonde de deux centimètres et demi.

Un homme et deux femmes lancèrent en même temps :

— Pourquoi ?

— Les ordres de Mme Winchester.

— Pour quoi faire ?

— Pour barrer le passage aux fantômes.

Quelques-uns échangèrent des sourires, la plupart des coups d'œil. Une femme d'un certain âge, coiffée d'une toque rose, murmura de manière à être entendue :

— Des fantômes ?

— On en a vu, dit la conductrice.

— Vous-même ? demanda l'homme à la barbiche sur un ton qui suggérait l'ironie.

Il n'obtint pas de réponse et s'informa d'une voix plus sérieuse :

— Dans les corridors ?

Il faisait l'effet de s'y connaître, et plusieurs personnes s'approchèrent de lui.

— Venez, venez, dit la guide.

Elle donnait l'impression de vouloir détourner l'entretien.

— Suivez-moi, et elle s'engagea dans un couloir dont les fenêtres donnaient sur une pièce obscure.

Je suivais des yeux Antoine et Isabelle. Elle marchait à une certaine distance devant lui, et il s'approcha pour ne pas la perdre de vue. Les couples se serraient davantage et échangeaient des chuchotis que je discernais sans les comprendre.

— Regardez l'escalier, dit l'accompagnatrice qui venait de s'arrêter. Il y a sept volées mais quarante-quatre marches, et si vous montez vous ne vous élevez que de deux mètres et demi. Voyez les marches. Elles ne mesurent que cinq centimètres.

Tout le monde se pressa pour mieux voir et parla en même temps : l'escalier semblait inexplicable, et chacun s'efforça de comprendre.

La guide fit oui de la tête avant de dire :

— Il s'agit d'embrouiller les visiteurs.

— Les touristes comme nous ?

Cette fois, de la tête elle fit non, baissa la voix :

— Les esprits des Peaux-Rouges.

Il y eut moins de rires, et la jeune femme se rembrunit comme si elle se reprochait d'avoir trahi un secret.

— Je regrette, dit-elle. Je vous ai effrayés. Suivez-moi.

Elle tira brusquement devant elle, et le groupe poussa un cri d'épouvante : la porte s'ouvrait sur le vide. On pouvait distinguer devant soi le sommet d'un palmier. Personne ne parla. Un homme sortit une cigarette, hésita, ne l'alluma pas. Les yeux sur le pas de la porte qui était un pas vers la mort, la toque rose indiqua l'ouverture :

— Et ça pour qui ?

— Contre qui ? souligna le barbichu.

La guide referma la porte, dit à voix basse :

— Contre les mêmes.

Chacun avait l'air de comprendre. Antoine se déplaça pour mieux voir Isabelle et, en même temps, l'empêcher de découvrir sa présence. Elle s'était détournée et, par-dessus l'épaule, étudiait le fond du passage : l'échange de questions et réponses ne la préoccupait pas. Une nouvelle voix retentit, celle d'une adolescente qui parlait trop vite, en avalant la moitié des mots. Elle voulait savoir ce que signifiait le chiffre treize : elle avait aperçu un escalier avec treize marches, les treize palmiers, une salle avec treize fenêtres, la treizième percée face à un mur.

La question, contrairement aux précédentes, ne concernait que Mme Winchester, et l'accompagnatrice expliqua que le treize était le chiffre préféré de la dame et qu'il lui portait bonheur.

— Et treize cent treize ? ne put s'empêcher de demander la jeune fille qui devait avoir ses propres croyances mathématiques.

Personne ne répondit. Le groupe se remit en marche. Les escaliers se succédaient en ordres contradictoires, les cheminées se dressaient l'une après l'autre, chacune taillée à sa manière, construite en palissandre ou en acajou, en teck, en chêne ou en merisier. La maison labyrinthique s'amplifiait sans jamais se répéter.

La pièce où ils s'arrêtèrent était encore plus particulière que les autres : il y avait un miroir. C'était la chambre à coucher de la propriétaire, où elle avait failli mourir, écrasée par les briques de la cheminée et la chute de l'étage supérieur : le tremblement de terre de San Francisco, en 1906, avait fait chavirer une seule pièce de la Maison du Mystère, celle où dormait Sarah, sauvée par les domestiques.

Le barbichu se renseigna : l'écroulement de la chambre à coucher tenait-il à des défauts de construction ?

— Ou à une vengeance des Indiens ? dit l'adolescente qui faisait confiance au treize.

Une discussion générale s'engagea. Les uns croyaient que les Indiens n'auraient jamais tenté de provoquer une démolition aussi importante au lieu de se servir d'une carabine à répétition, un winchester de préférence; d'autres suggéraient qu'il ne pouvait s'agir que des revenants de Peaux-Rouges qui avaient tant de comptes à régler avec la fabricante d'une arme portant son nom. La toque rose interrogea :

— Et le miroir ? Vous avez oublié le miroir.

Personne n'y avait fait attention.

— Les esprits haïssent les miroirs, trancha la guide. Dès qu'ils se voient reflétés, ils disparaissent.

— Alors, pourquoi pas d'autres miroirs ? demanda un petit vieux.

La discussion reprit. Le porteur de barbiche rappela :

— Il n'y avait qu'à mettre des glaces aux quatre coins de chaque pièce. Cela aurait chassé tous les spectres, les mauvais et les bons, les goules et les farfadets, et même les sirènes.

J'observais Isabelle : elle n'avait pas l'air d'avoir entendu la référence aux sirènes.

— Et alors pourquoi pas ? s'informa la jeune fille Treize. Elle s'était adressée à l'hôtesse qui fit semblant de ne l'avoir pas comprise. Le barbichu répondit à sa place :

— Je suppose que Mme Winchester tenait à s'introduire dans la haute société spectrale, donc à ne vexer personne à coups de miroirs qui incommoderaient tout le monde.

Il voulait continuer mais la guide l'interrompit pour raconter que la propriétaire avait fait construire un clocher que personne ne pouvait atteindre et où était suspendue une cloche géante qui sonnait à minuit, à une heure et à deux heures du matin pour se taire le reste du temps. La corde descendait au sous-sol, et l'unique serviteur japonais de Mme Winchester savait comment parvenir jusqu'à elle. Il gardait dans sa chambre trois chronomètres et téléphonait tous les jours à l'observatoire pour vérifier l'heure.

La conductrice s'arrêta de parler et repartit. Les autres la suivaient. Ils semblaient las, quelques-uns devaient s'interroger sans rien dire. Antoine chercha Isabelle. Elle était toujours devant lui à une certaine distance. Elle n'avait pas encore dit un mot. Il pensa qu'il ne l'avait presque jamais entendue parler et que c'était à lui de se décider à lui adresser la parole, il ne savait pas laquelle, peut-être le nom de Cécile, puis espérer une réponse et, à défaut, s'efforcer d'interpréter le silence. J'étais prêt à intervenir : il avait oublié ma présence, mes souhaits et mes dépits.

Une voix d'homme qu'on n'avait pas encore entendue demanda, à soi ou aux autres :

— La cloche, pourquoi à minuit ?

Une autre voix répondit :

— C'est l'heure.

Et la première :

— L'heure de quoi ? L'heure de qui ?

La deuxième ne dit rien. La guide jeta :

— Dépêchons-nous.

Elle fit quelques pas. Un couple la suivit, les autres restèrent sur place. L'accompagnatrice se retourna, dit avec impatience :

— C'est à minuit que les revenants quittent le cimetière pour y retourner à deux heures.

— Et ils attendent le son du clocher pour ne pas se tromper ? s'informa la toque rose.

— Sans doute, dit la guide, et elle repartit pour éviter d'autres questions.

C'est en vain que Mlle Treize voulut savoir ce qu'il arrivait quand un esprit était en retard pour rejoindre la sépulture. Ils longèrent des vitraux. L'adolescente compta, dit :

— Treize pierres de couleur.

— Des pierres précieuses ? demanda une femme.

Pas de réponse. Ils descendirent un petit escalier jusqu'au palier sans issue pour remonter aussitôt et se retrouver à une hauteur différente. Une femme coiffée d'une rondelle bleu ciel s'enquit, sans nommer Mme Winchester :

— Elle décidait tout elle-même ?

— Elle était assez riche pour se le permettre, expliqua la toque rose.

Elle aurait continué si le barbichu ne l'avait

interrompue en questionnant à son tour, mi-curieux, croyant avoir deviné, mi-moqueur, de peur de se tromper :

— Et les esprits ? Elle n'a pas consulté les esprits ?

Un nouveau silence, puis la toque rose :

— S'ils existent, peut-on leur faire confiance ? Et, s'adressant à la guide : Qu'en pensez-vous ?

La jeune fille hésita avant de dire :

— Ça dépend.

Sa voix se fit plus déférente :

— Mme Winchester consultait les bons.

Tout le monde s'était arrêté et posait des questions contradictoires. Antoine n'écoutait plus. Il surveillait Isabelle qui s'était approchée d'un mur. Moi, j'observais Antoine.

L'accompagnatrice expliquait que l'ancienne propriétaire siégeait toutes les nuits dans son cabinet de travail en compagnie des esprits qui lui étaient favorables. Non, ils ne pouvaient pas être Indiens pour des raisons évidentes. Sans doute des Blancs, et pas n'importe quels Blancs, pas les Blancs pauvres, des Blancs respectables. C'est eux qui guidaient Sarah dans son œuvre et lui indiquaient tous les rideaux de protection contre les mauvais esprits : les sonneries d'alarme, les systèmes d'alerte, les attrape-fantômes, les épouvantails à spectres.

Elle reprit la marche, suivie des touristes dont les coudes se serraient davantage. Moi, j'aperçus Antoine, observant Isabelle qui ouvrait une porte, certaine que les autres l'ignoraient, et se glissait à l'intérieur. Antoine compta jusqu'à trois et, sûr à son tour de l'inattention générale, entrebâilla la même porte. Le couloir était obscur et semblait désert. Antoine regretta super-stitieusement de n'avoir pas compté jusqu'à treize, tablant sur l'adolescente qui devait ajouter une créance particulière à ce chiffre, et partit de l'avant. Je ne lui avais jamais appris la valeur du sept, moi, unique Cherokee, seul Peau-Rouge parmi les visiteurs présents.

On n'entendait aucun bruit de pas. Le corridor conduisait à une antichambre, devant une pièce dont la porte s'ouvrait sur un couloir coudé prenant fin devant un escalier qui montait et descendait pour se terminer dans la première antichambre sauf qu'elle semblait ne pas être parfaitement identique à elle-même en raison d'une entrée supplémentaire qu'Antoine entrouvrit pour voir Isabelle.

Elle suivait un balcon, large de trois mètres, qui longeait la maison, et ne se retourna pas. Antoine attendit qu'elle s'éloigne. Lorsqu'elle disparut à sa gauche, il courut à sa suite sur la pointe des pieds et jeta un regard derrière le coin. Le prolongement du balcon mesurait à peine dix centimètres de largeur. Isabelle s'était éclipsée. Il revint sur ses pas, regagna la porte qu'il avait prise pour sortir et s'aperçut qu'en sens inverse elle était condamnée. Il refit demi-tour, courut jusqu'à la fenêtre qu'il avait croisée à deux reprises, et pénétra dans un petit salon où traînaient quelques journaux vieux d'un quart de siècle.

Antoine se sentait perdu. Isabelle avait disparu, mais ce qui l'inquiétait davantage c'était l'impression qu'elle semblait connaître son chemin. Ce n'était donc pas la première fois qu'elle visitait la maison Winchester. Il leva un journal comme s'il croyait y trouver une réponse. Il apprit à la première page que, le 3 août, l'Allemagne avait déclaré la guerre à la France. Il chercha la date. C'était 1914. Il s'appliqua à lire la feuille.

C'est moi qui la lui avais glissée. L'année 1938

que nous vivions se nourrissait de bruits. Dans mon récit, j'ai beau confondre tous les passés, je ne suis censé rien savoir de l'avenir, rien raconter de l'an quarante, de la semaine où le gouvernement avait quitté Paris, et les troupes de même. Et pourtant il y restait une poignée d'officiers et leurs chauffeurs, dont moi. J'avais chargé ma voiture d'un bidon de cinquante litres d'essence, de quelques bouteilles de grands crus dont un ami m'avait fait cadeau pour ne pas les abandonner à la Wehrmacht, de divers objets qui pouvaient se révéler utiles au cours d'une retraite : un verre, un canif, un vieux revolver abandonné dans un tiroir. Il ne restait de place que pour mon colonel. Mais je tenais à tout prix à emporter de quoi lire, la plus ancienne de mes habitudes.

Au milieu de la nuit, j'allai dans l'appartement de mes parents, depuis plusieurs jours réfugiés en Corrèze. Le black-out était obligatoire : au lieu d'allumer, je promenais ma lampe de poche le long des rayonnages. Les livres dormaient, immobiles. Je songeais à la classique question : « Si vous alliez dans une île déserte, quels seraient les dix volumes que vous emporteriez avec vous ? » Dix volumes auraient pris trop de place sous le siège. Trois, peut-être ? Mais lesquels ? Mon rond de lumière se posa sur une reliure bleue et s'arrêta. Elle n'était pas grande et recouvrait plus de mille pages de papier bible. Je déchiffrai : *Shakespeare's Complete Works.* Je pouvais partir avec un livre unique. Je descendis l'escalier en courant, regagnai la voiture et cachai le volume à portée de la main. J'avais un avantage sur Jim Bridger : je pouvais lire Shakespeare moi-même, et tant pis pour Antoine si je lui fais subir le va-et-vient des histoires. Il jeta le journal par terre faute d'avoir découvert le moindre renseignement au sujet de Sarah Winchester ou d'Isabelle, et, en plus, le salon où il se trouvait avait trois portes. Il alla les ouvrir l'une après l'autre, la première un couloir obscur, la deuxième une chambre à coucher, la troisième une chambre d'enfants, nulle part quiconque. Il écouta le silence. Isabelle devait être à l'autre extrémité de la maison. Affolé, il se dit que plus il poursuivait la jeune fille et moins il avait de chance de la rejoindre. Mieux valait se tapir dehors et attendre : Isabelle finirait bien par ressortir.

Il se précipita devant lui, renonçant à chercher son chemin, préférant dégringoler les escaliers pour se retrouver à un étage supérieur, courant à perdre haleine le long des couloirs pour aboutir à son point de départ, poussant des portes qui se refermaient d'elles-mêmes pour ne plus se rouvrir et l'obliger à revenir sur ses pas et repartir devant soi dans l'espoir qu'il n'avait pas oublié la course précédente, que sa nouvelle tentative ne serait pas une répétition, comme si un parcours différent était susceptible d'assurer une réussite, et il n'arrêtait pas de courir tant qu'il avait la force de le faire, jusqu'au moment où, sous prétexte de reprendre son souffle, il s'arrêta et s'appuya contre une cloison qui était une porte s'ouvrant d'elle-même avec violence pour se clore aussitôt, la faire basculer en arrière et découvrir qu'il était enfermé dans une chambre à coucher battant neuve, avec une vaste armoire dans le miroir de laquelle Isabelle dévisageait Antoine non sans malice.

Les reflets de leurs têtes étaient tournés l'un vers l'autre, mais les regards n'avaient fait que se frôler, et Antoine fit semblant de ne pas l'avoir aperçue. Elle se détourna sans changer d'expression, et il pensa avoir réussi, l'observant qui reculait légèrement et ouvrait la porte de l'armoire. Maintenant il ne la voyait que de dos; le doux visage d'Isabelle avait disparu, et elle aurait dû regarder par-dessus l'épaule comme elle en avait l'habitude, imitant le portrait de la fille de Vermeer ou, si elle l'était, son propre portrait, pour s'offrir aux yeux d'Antoine. Il faisait mine de contempler la pointe de ses pieds, examinant les tiroirs du bas de l'armoire qui étaient de faux tiroirs. Au fond, accrochées à treize cintres soutenus par treize crochets, pendaient treize robes du soir, chacune d'une couleur, d'une coupe et d'un tissu différents. Isabelle les déplaça l'une après l'autre comme si elle cherchait à faire son choix et n'arrivait à se résoudre, d'autant plus qu'il était temps de prendre son parti, car le soir descendait. Antoine ne savait si elle était consciente de son arrivée tellement elle semblait absorbée par les recherches, et pourtant elle n'avait jamais manifesté une pareille distraction : peut-être faisait-elle exprès d'ignorer sa présence. Elle ne bougeait plus, plongée dans la contemplation de deux robes longues, suspendues côte à côte, l'une bleu de nuit, l'autre violette. Antoine préférait la première et espéra qu'Isabelle aurait le même goût. Elle poussa la violette de côté. Il se demanda si c'était une preuve de son influence ou s'il s'agissait d'un hasard. Elle posa la main sur le fond de l'armoire qui s'ouvrit subitement. Isabelle disparut derrière les robes, la porte du meuble se referma, Antoine vit son propre reflet dans le miroir qui avait viré et lui faisait face de nouveau.

Il s'élança à la rencontre de son double, et ils faillirent se heurter. Les robes étaient toujours suspendues dans l'armoire dont le fond ne laissait pas voir le passage qu'avait emprunté Isabelle. Antoine écarta les vêtements, tâta les plaques de bois à la recherche de l'endroit, invisible, introuvable, soudain poussa la bleu de nuit à gauche et la violette à droite, et aussitôt une porte étroite s'ouvrit devant lui, barrée à hauteur des genoux par un tube d'acier. Il l'enjamba, l'ouverture derrière lui s'effaça, et il se trouva dans le cabinet de travail de Sarah Winchester, face à Isabelle.

Elle le dévisageait gentiment comme la fille de Vermeer dévisage ses visiteurs depuis plus de trois siècles. Elle ne dit rien elle-même mais avait l'air d'attendre qu'il lui parle, et cet entretien, fait de babil et d'aveux, semblait à l'avance plaisant et facile.

— Vous connaissez la maison, dit Antoine, et cette pièce.

Ce n'était pas une question. Elle ne répondait pas. Il insista :

— Déjà venue ici ?

Elle sourit : c'était une réponse. Il s'informa :

— Pour quoi faire ?

Elle haussa à peine les épaules. Le geste pouvait signifier : ce qu'on fait ici d'habitude.

— Comme Sarah Winchester ?

Elle fit non de la tête : un geste presque imperceptible.

Il demanda :

— Avec les revenants ?

Elle répéta son mouvement négatif.

Il était sur le point de dire : mais que faisiez-vous ici ? Il se força à garder le silence : il venait de penser qu'Isabelle pouvait être elle-même un esprit, revenu d'un autre monde, d'un autre siècle. Si c'était vrai, il avait tort de se taire, Isabelle allait deviner à quoi il pensait, il devait donc dire quelque chose, le plus vite possible, et il avala sa salive et dit n'importe quoi :

— Il n'est pas encore minuit.

C'est après avoir parlé qu'il s'est souvenu d'où venaient ses paroles, comme s'il entendait la cloche qui sonnait toutes les nuits à trois reprises pour guider les fantômes.

Le visage d'Isabelle avait pris une expression attentive. Elle ne dit rien, ne répéta même pas qu'en effet il n'était pas encore minuit, ce qui prouvait quelque chose, mais Antoine y songea lui-même. Si elle était là bien avant l'heure, c'est qu'elle pouvait se le permettre rien qu'à la voir jeune et si belle que, même esprit, elle aurait été un bon esprit dont les pareils venaient jadis conférer avec la propriétaire du domaine.

Elle se taisait toujours, et Antoine en était conscient sans se rendre compte que jusqu'alors il avait été le seul à parler et qu'à présent il gardait la bouche close comme elle. Il s'obligea à reprendre leur drôle de dialogue unilatéral et, incapable de contrôler sa voix, il cria :

— Cécile !

Le regard d'Isabelle exprima la surprise, elle avait l'air de ne pas être certaine d'avoir bien entendu.

— Qui ? dit-elle.

C'était le premier mot qu'elle prononçait en sa présence, et le son de sa voix de jeune fille lui serra le cœur. Il baissa la sienne pour répéter :

— Cécile.

Visiblement elle s'efforça de faire revivre un souvenir. Il allait lancer « Isabelle », cria : « I ! », s'obligea de se taire, s'interrompit au milieu du son « z », se rendant compte que ce n'était qu'une supposition, qu'il ne savait pas son nom, qu'il ignorait celui de la fille du peintre, que si c'était bien elle il aurait pu l'appeler Mlle Vermeer, mais qu'en l'admettant elle se serait trahie et qu'elle était trop subtile pour se trahir. Même si Cécile était son vrai nom, se dit-il, de plus en plus égaré dans la broussaille de ses conjectures. Et pourtant elle n'a pas réagi quand je m'en suis servi ou peut-être a-t-elle fait semblant de ne pas réagir pour m'embrouiller davantage, et moi, placé devant l'écartement de tous ces sentiers, moi qui m'obstine à les remonter tous en même temps, divaguait Antoine, comme il en avait l'habitude, pour finir par s'interrompre à l'idée que, face à lui, immobile, Isabelle ou Cécile, mieux encore Mlle Vermeer, contemplait quelque chose par-dessus son épaule à lui. L'observait-elle, en évitant de le faire deviner, à moins qu'elle ne s'intéresse plus à lui ? Ces deux possibilités se subdivisaient aussitôt, et Antoine reprenait son errance.

Le jour continuait à baisser. Un peu de patience, et minuit sonnerait. Il n'y avait qu'à prévenir Isabelle. Antoine ne songea plus aux autres appellations, abandonnant ces sentiers pour ceux de la magie et parcourant du regard le cabinet de travail. La pièce était petite, aux murs peints en bleu, meublée d'un casier, d'un fauteuil unique et d'une table avec du papier, un crayon et une planchette. Il n'y avait pas d'autres sièges, et Antoine se dit que les esprits devaient rester debout comme le faisait Isabelle. Par où entraient-ils ? La voie qu'il avait suivie était hérissée de pièges, de trappes, de chicanes, et s'il avait trouvé son chemin c'était en suivant la jeune fille. Et les autres ? Il n'y avait pas une seule fenêtre, rien que des puits donnant sur d'autres pièces et par où pénétrait la lumière, les uns exigus, les autres juste assez larges pour laisser passer un homme mais munis de barres entrecroisées, empêchant tout esprit de s'introduire : Antoine pouvait en conclure que Sarah Winchester, conseillée par les bons, réussissait à interdire l'entrée à ses ennemis, les mauvais fantômes des Peaux-Rouges pour qui le nom de famille de la dame signifiait le fusil dont les balles les avaient abattus dans la Grande Prairie ou la sierra du Far West. A l'orée d'un dédale de nouveaux sentiers contradictoires mais vraisemblables, Antoine, exaspéré, se tourna vers Isabelle. Il n'avait plus la force de redouter ses disparitions, de lui courir après sans oser ouvrir la bouche, de l'adorer humblement sans jamais l'avouer.

— Je ne veux pas savoir si tu es le portrait ou l'esprit d'une fille, si le portrait est bon ou l'esprit mauvais, si tu t'appelles Isabelle ou Cécile, hurla-t-il en la tutoyant, et je biffai la fin de la phrase.

Ils étaient tous deux face à face, personnages que, depuis longtemps déjà, je m'étais efforcé de découvrir de la même façon qu'on découvre une région dont la carte est blanche par endroits parce que personne encore n'a remonté le fleuve qui traverse la forêt vierge, ni atteint la montagne qui se dresse au-dessus d'un lac, et ne sait si quelqu'un y vit et qu'est-ce que sa vie. Je les avais suivis tous les deux patiemment, parcourant la Maison du Mystère, d'abord mêlés à des touristes ordinaires, ni Indiens ni esprits, ensuite seuls, cherchant leur voie, se heurtant aux difficultés suscitées par la lutte de Sarah contre les fantômes. J'ai rendu compte de cette expédition de mon mieux, avec autant de précision que possible, tout en me demandant ce qu'Antoine et Isabelle faisaient là. Lui la suivait comme je lui en avais donné l'habitude, mais elle ? Etaient-ils un peu fantômes eux-mêmes ? Ou bien était-elle une revenante, arrivant de loin, de Delft, comme Antoine avait failli le croire avec mon aide, car il n'y a pas d'autre manière de s'y prendre : on procède à une tentative et on en évalue les conséquences.

Celles-ci m'ont semblé positives tant que le

couple errait d'escalier en escalier, de porte à fenêtre. Je n'avais qu'à le suivre et prêter l'oreille. Depuis longtemps, le tocsin de la fantasmagorie résonnait de plus en plus fort autour de la maison, dans le quartier, à travers la Californie. L'existence des esprits, les mauvais et les bons, expliquait les guignes et les chances des malades, des amoureux, des victimes d'accidents. Antoine était-il malade, Isabelle amoureuse ? Et moi-même ? Eux, étaient les seuls spectres auxquels je croyais pour l'unique raison qu'ils étaient nés dans ma tête, et voilà qu'ils étaient en train de se disjoindre, ne correspondant plus à eux-mêmes, inachevés, incomplets, insuffisants. J'en voulais à moi-même, à eux deux, à la propriétaire de ce domaine, cette femme qui, parcourant son jardin et apercevant des travailleurs en train de planter des orangers, avait donné l'ordre de les placer les racines en l'air et les branches dans le sol et congédié celui qui avait refusé de le faire, la petite femme qui avait fait ériger en offrande expiatoire la statue du chef Petit Faon, tenant l'arc de la main gauche, deux flèches de la droite, donc sans défense contre une winchester, un Indien dont j'ignorais la tribu mais dont les fabricants de fusils devaient connaître le revenant. J'en avais assez de rester dans le cabinet de travail bleu réservé aux esprits favorables, je n'éprouvais aucune envie de partir à la recherche du fameux coffre-fort : le bruit courait que, tous les soirs, Sarah Winchester, accompagnée des domestiques dont aucun, sauf le maître d'hôtel, n'avait le droit de voir son visage, en faisait sortir sa vaisselle en or pour se mettre à table, toujours solitaire, manger, et ranger plats, verres, assiettes et couverts dans le coffre.

Antoine, Isabelle et moi-même, nous avons commencé par faire connaissance avec la maîtresse de maison, une sorte de connaissance. Elle était installée dans un tilbury, à l'abri sous un dais à frange, un manteau d'astrakan sur les épaules, ouvert sur un corsage blanc avec un petit col et un ruban foncé, un chapeau emplumé posé sur des cheveux blancs. Son cocher se tenait debout, le bras droit tendu comme s'il était sur le point d'aider madame à descendre. Il était cravaté, ganté, moustachu et portait un haut-de-forme. Aucun des deux ne fit attention à nous, à personne, leurs visages de cire, soigneusement époussetés, demeuraient immobiles, chacun fixait un point devant lui. Leurs fantômes étaient absents, que je sache.

Isabelle et Antoine contemplèrent les deux personnages grandeur nature. Il dit :

— C'était sa voiture ?

Et, fronçant les sourcils :

— Ils ont dû venir de San Francisco, du musée chinois. En voiture à cheval, c'est un long voyage. La vieille dame a l'air fatiguée. Pourquoi sont-ils venus ?

Nous étions dans une vaste salle de bal dont le parquet étincelait. Au milieu du plafond, fait de caissons de bois, chacun séparé en treize parties, était accroché un lustre d'argent à treize branches. Au-dessus de la cheminée, un miroir tournait le dos à la pièce, sans doute pour ne pas offenser les revenants ; à droite et à gauche, à une certaine distance, deux vitraux aux glaces biseautées et teintées étaient décorés des mêmes motifs, dont un ruban, entourant une colonne imaginaire, qui portait une inscription en grandes capitales.

J'allai à gauche, suivi par mes deux compagnons, pour lire le texte qui était tracé de haut en bas. J'ai lu : « Ouvrez tout grand les tablettes de leurs pensées », sans être sûr de bien comprendre cet impératif. Il devait s'adresser à quiconque le déchiffrait, décidai-je. Isabelle ne dit rien : elle ne comprenait pas l'anglais. Antoine se renseigna :

— A qui appartiennent les pensées ?

J'y réfléchis, considérant le lustre avec ses treize lumières dont le nombre m'éclairait mieux encore que leur rayonnement : je pensai à Mme Winchester, mais au lieu de le dire, je m'approchai du deuxième vitrail.

Là, le ruban de verre, qui tournait comme l'autre autour d'une colonne, descendait, et l'on pouvait lire : « Ces mêmes pensées peuplaient ce petit monde. » J'attendis qu'Antoine me rejoigne. Il lut à son tour, fronça les sourcils, réfléchit comme moi.

— Quelles pensées ? insista-t-il.

Je dis :

— Il faut d'abord répondre à la première question.

Et je m'informai à mon tour :

— Qui a inventé ces deux phrases et les a fait graver ?

Il chercha, trouva :

— Mme Winchester. Tu veux dire, se récria-t-il, que les pensées lui appartiennent à elle ? Et le petit monde aussi ?

Je suivis des yeux Isabelle qui ne devait pas s'intéresser à notre entretien et avait traversé la salle pour s'asseoir sur un tabouret devant un vaste piano au clavier ouvert, dont les pieds étaient gros et contournés comme les pattes de Pan, dieu et bouc. Je finis par répondre que la phrase appartenait à l'ancienne maîtresse de maison mais que « leurs pensées », dont elle parlait, devaient être celles des esprits.

— Parce qu'ils existent, dit-il, sans prétendre en douter ou y croire, tout juste terminant mes paroles.

Je corrigeai les siennes :

— Parce qu'elle est persuadée qu'ils existent.

— Et toi ? lança-t-il.

Je souris et gardai le silence. Il s'efforça de comprendre ce que je pensais. Quelques notes résonnèrent, espacées et basses, puis encore une fois, les mêmes, mais deux octaves plus haut. Le piano avait une voix profonde, et la salle lui était favorable : les sons flottaient, s'estompaient en donnant l'impression de s'éloigner lentement. Sans regarder le clavier, Isabelle soulevait de temps à autre un doigt pour le poser lentement sur une touche. J'avais le sentiment d'entendre un air familier dont le rythme s'était déplacé et que je ne réussissais pas à rétablir. Jamais encore je n'avais vu Isabelle se ressembler à ce point, elle était son portrait et en même temps elle-même, mais aussi celle que j'appelle Cécile, dont je me demandai si elle faisait de la musique pour me souvenir que je ne l'avais jamais entendue jouer du piano. Je finis par répondre à la question d'Antoine :

— Isabelle en est un peut-être.

Il la regarda, subitement inquiet. J'ajoutai :

— Peut-être, toi.

Il partit d'un éclat de rire, sans doute pour me faire croire qu'il trouvait mon idée ridicule, mais j'étais ailleurs. Je dis, indiquant les vitraux :

— Ces lignes, ce sont deux vers de Shakespeare. C'est dans une de ses pièces.

Antoine ne réagit pas, le nom lui était étranger. Je n'avais jamais jugé utile de le lui apprendre. Je m'interrogeai :

— Mais laquelle ?

Il ne dit rien. Je me répondis :

— C'est une des chroniques. *Henry IV* ou *Richard III.*

Isabelle ne m'écoutait pas, seulement elle s'interrompit de toucher le clavier, pas à cause de mes paroles mais pour une raison particulière qui m'échappait. Je relus l'inscription sur les vitraux et me corrigeai :

— Non, pas *Richard III*. C'est *Richard II*, la fin de *Richard II*.

Mes compagnons, qui n'avaient jamais entendu parler de cette ribambelle de rois d'Angleterre, ne prêtaient aucune attention à mes paroles. Tous deux avaient dressé la tête pour mieux écouter. Un son de cloche retentit. Isabelle et Antoine prirent une drôle d'expression, elle curieuse, lui inquiet. Il avait l'air de compter, car lorsque la cloche se tut il dit comme s'il m'adressait la parole :

— Douze.

Je demandai :

— Douze heures ?

Il dit :

— Minuit.

Je demandai :

— Pourquoi ?

Il dit :

— Il paraît que ça signifie...

C'était un début de phrase. Il s'arrêta au milieu. Je compris ce qu'il sous-entendait : l'heure était annoncée à l'usage des revenants, mais je fis semblant de songer toujours à *Richard II* comme au moment où la cloche m'avait imposé le silence. J'ai donc répété les deux vers.

— Ils ne se suivent pas, dit une voix.

La fille de Vermeer fronça à peine les sourcils ; il n'était pas clair si elle savait ce qu'était le théâtre, si, de son temps, Shakespeare avait été joué à Delft.

— Pour le deuxième vers, c'est juste, dit la même voix, c'est *Richard II*, mais la première, c'est *Troïlus et Cressida*.

Vêtu de peau de daim, grand et mince, un

homme se tenait debout devant la cheminée, dos à dos avec le tain du miroir qui était tourné vers le mur, sur les ordres de Mme Winchester, pour ne pas incommoder les esprits. Je n'avais jamais rencontré mais je connaissais Jim Bridger, ses images, sa vie et son attachement à Shakespeare.

Isabelle étudiait le trappeur. Ses paroles qu'elle ne pouvait comprendre la laissaient indifférente mais curieuse; la voix de l'homme, son aspect plus encore semblaient ne pas lui déplaire, et je me suis dit qu'Antoine éprouvait comme moi un début de jalousie, sauf que le nouvel arrivant dépendait du battement de la cloche et devait regagner sa sépulture en l'entendant sonner dans un bref délai : il ne présentait donc qu'une menace passagère. N'empêche qu'Isabelle sembla lui adresser un sourire, son sourire habituel de trois quarts par-dessus l'épaule. Antoine s'en aperçut en même temps que moi. Bridger, lui, semblait en être inconscient, et pourtant c'est lui qui parla le premier sans regarder la jeune fille mais non sans la voir.

— Chante pour toi, sirène, dit-il, et je t'aimerai à la folie, étends tes cheveux d'or sur les vagues d'argent, et je m'en servirai comme d'un lit pour me coucher.

Je n'ai pas reconnu les paroles que je lui attribuais tout en supposant qu'il subissait l'influence du plus grand des auteurs dramatiques, sans trop y réfléchir cependant, attiré que j'étais par le mot de sirène, je veux dire le nom de Sirène que j'avais failli attribuer à Cécile, tout cela et ma stupéfaction d'entendre Jim Bridger traiter Isabelle de sirène.

Il s'était tu comme s'il espérait une réponse, mais elle ne venait pas, et il baissa la voix pour murmurer :

— Je boucherai mes oreilles contre le chant de la sirène.

Il semblait adresser ces paroles à lui-même, et pourtant elles parurent familières. Shakespeare sans doute, mais quelle pièce ? Je cherchai sans trouver, détourné que j'étais par la nécessité d'observer Isabelle. Elle ne parlait toujours pas mais on pouvait voir sinon entendre qu'elle s'amusait, et je me suis demandé si c'était parce qu'on l'avait prise pour une sirène ou avait deviné qu'elle en était une. Je ne sais si Bridger s'était posé la même question, mais il tourna la tête dans ma direction pour dire :

— Tu te souviens, une fois j'étais assis sur un promontoire et j'entendis le chant d'une sirène...

La question n'était pas de lui, je l'ai reconnue et je ne pus m'empêcher de répondre :

— Je me souviens.

En effet, je me souvenais. Bridger avait répété le récit d'Obéron, moi, la brève réponse de Puck. C'était une nuit d'été, nous étions au début du songe, ces deux-là s'entretenaient pour la première fois, comme Bridger et moi venions de le faire. Lui ne devait pas s'en rendre compte, n'ayant cherché dans sa mémoire que des éloges à l'adresse de la jeune fille au turban. Du moins, je le supposais, mi-amusé mi-inquiet, bref, m'appliquant à fixer mon attention sur Isabelle et oubliant de surveiller Antoine. Je me suis dit que Bridger avait usé de mots personnels à côté de ceux de Shakespeare : j'avais l'impression qu'il avait laissé les siens propres dans le cimetière pour se servir des autres, appris par cœur de son vivant et qui emplissaient sa tête et s'envolaient en bourdonnant.

Je sentis Antoine qui s'était approché de moi par derrière et m'avait posé la main sur l'épaule. Je me retournai. Il n'y avait personne. Antoine n'avait pas changé de place. Je me demandai quelle main j'avais prise pour la sienne. Antoine rencontra mon regard, indiqua Bridger d'un petit geste, dit, mi-question mi-réponse :

— Vous le connaissez ?

J'ai fait oui de la tête.

— Comment s'appelle-t-il ?

Au lieu de lui répondre, je me demandai si celui qui m'avait frôlé l'épaule était Puck qui aime disparaître, ne laissant perceptible que sa voix, à moins que ce ne fût Ariel, l'esprit aérien qui préfère demeurer invisible. Naïvement je cherchai du regard à travers la salle, ne trouvant qu'Isabelle, Antoine et Jim Bridger, chacun à sa place, elle comme c'est la coutume des tableaux, les deux hommes également immobiles ; je m'appliquais à explorer les coins les plus obscurs, les portes, la cheminée, et, à cet instant, la cloche sonna. C'était la même cloche, mais cette fois-ci, elle ne sonna qu'un coup.

— Une heure, dit Antoine.

— La cloche, dit Bridger, sonnait une heure.

Mlle Vermeer ne dit rien, moi, je reconnus les paroles : c'était l'instant où s'entrouvraient les fosses des cimetières, et comment croire que ceux qui en sortent pour si peu de temps traînent les pieds le long des tombeaux voisins. Mais Bridger dut m'entendre ou deviner et il lança :

— Paix ! Tais-toi, le voici qui revient.

Lui-même n'avait pas bougé. La jeune fille au turban leva la tête et la tourna lentement, suivant des yeux un spectre imperceptible qui marchait à pas comptés. Bridger l'aperçut aussi, Antoine, non, moi, je devinai qu'il était vêtu d'acier et que la visière haussée du casque laissait voir le visage. Je l'aurais reconnu, même si je l'avais rencontré sans être mis en garde au milieu de l'avenue de l'Opéra, à Paris, ou à New York, dans Broadway. C'était bien le père d'Hamlet, et pourtant Isabelle se détourna pour quitter le piano et suivre des yeux une autre ombre, plus menue que la précédente, et qui se déplaçait plus rapidement. Bridger ne dit rien, et l'expression attendrie d'Isabelle, son lent sourire ne m'apprirent rien. Je cherchai dans ma tête : Ophélie ? peut-être, mais pourquoi pas Desdémone ou Juliette ? Je voyais croître et s'étendre la grande forêt shakespearienne, peuplée d'adolescentes enclines à mourir.

J'aurais pu questionner Bridger mais lui semblait s'attacher toujours au premier de nos visiteurs. J'observais Antoine. Il n'était plus inconscient de la présence des fantômes, il parcourait la salle d'un regard rapide et désordonné, donnant l'impression d'un homme perdu au milieu de la cohue et apeuré par le grouillement de ces inconnus. Il devait y en avoir une multitude dont je devinais la présence ; les chuchotements que je croyais discerner et trouvais habituels, je les leur attribuais. Et quand j'entendais une ombre dire à sa pareille : « Toi qui n'es que de l'air », comment pouvais-je ne pas comprendre que c'était Prospero s'entretenant avec Ariel, ne pas faire la différence entre les bons et les mauvais revenants en entendant Puck décrire les esprits damnés et Obéron répliquer : « Mais nous sommes des esprits d'une autre espèce », ne pas déceler le langage magique des sorcières de Macbeth ou les confondre avec Margery Jourdain, elle aussi une sorcière, évoquant comme les trois autres les âmes des morts ? Je n'avais pas besoin de les apercevoir pour les reconnaître, tout en risquant de les confondre avec les clowns, les fous et les fossoyeurs. Il n'y avait pas que le son des voix ; ils avaient été mis en lumière et à nu avec une telle précision que je pourrais les voir et les faire voir sans les regarder. Il n'y en avait pas sur terre de plus vivants depuis plus de trois siècles, et il suffisait de les nommer pour qu'ils resurgissent et demeurent.

Seul, Jim Bridger manifestait une résurrection plus matérielle que les autres, faisant étalage d'un profil, de vêtements, de paroles; au lieu de se borner à des exclamations et à des murmures, il allait jusqu'à s'adresser à Mlle Vermeer, répétant des mots découverts par un autre mais s'en servant à bon escient. Il n'avait rien dit à personne, ni à moi ni aux revenants qu'il suivait du regard, souriant à certains : les personnages de Shakespeare, à qui pouvaient-ils être plus familiers qu'à lui ? Il s'anima, saisit d'un coup d'œil un visiteur invisible qui s'approchait du piano dont le couvercle se souleva de lui-même, et les touches se mirent en mouvement. Elles s'enfonçaient, remontaient, demeuraient immobiles longuement ou l'espace d'une fraction de seconde, s'élançaient de nouveau pour recommencer à s'alanguir, et, à la reprise d'un rythme rapide, faisaient entendre une valse comme on en jouait au siècle dernier.

On pouvait supposer que la foule tournait. D'abord, quelques-uns seulement, sans doute les plus alléchés, puis les autres, sans faire percevoir le moindre glissement ou frôlement. Je n'aurais rien discerné si je n'avais entendu la musique et suivi les yeux de Bridger.

La musique continuait à se ralentir pour s'accélérer subitement. Les épaules de Bridger suivaient le rythme. Je me demandai s'il savait valser, et comme pour me répondre, il esquissa un geste dans la direction de la jeune fille. Il ne s'était pas déplacé, juste tourna la tête et se pencha à peine vers elle qui n'en sut rien. Je guignai Antoine. Comme moi, il surveillait Isabelle et l'homme, son visage n'exprimait rien ou faisait semblant de ne rien exprimer.

Je dis :

— Elle ne sait même pas qu'il l'observe.

Antoine dit :

— Qui ?

Je dis :

— Elle ignore qu'il veut danser avec elle, et il n'ose pas s'approcher.

Antoine dit :

— Qui ?

Je dis :

— Toi-même tu voudrais danser avec elle ?

Antoine ne dit rien.

A ce moment, je vis, au milieu de la salle, surgir une figure que je connaissais sans pouvoir relever certains détails, comme si une brume légère traînait autour d'elle. Mais j'étais convaincu de ne pas me tromper : c'était bien le petit cireur de chaussures chinois qui, à San Francisco, avait proposé à Antoine de brosser ses souliers. Il tenait à la main son carton avec le cirage, les chiffons et les brosses et, les yeux baissés, inspectait les pieds des danseurs indiscernables qui tournaient autour de lui et dont j'ignorais s'ils portaient escarpins, mocassins ou bottes, ne pouvant que supposer leur présence, mais que le garçon couvait des yeux.

Je demandai :

— Antoine, tu le reconnais ?

Il fit oui de la tête.

— C'était place Portsmouth.

Il s'interrompit. La voix de Bridger venait de retentir :

— Alors qu'ils ne donneront pas un sou pour secourir un mendiant boiteux, ils en dépenseront dix pour voir un Indien mort.

Je reconnus *La Tempête*. Je me dis que dix

sous étaient à peu près le prix d'une balle de winchester, et j'éprouvai l'envie d'interroger Bridger lorsque, à quelques pas du petit Chinois, je vis un homme qui se tenait tout droit et qui semblait, lui aussi, inachevé par endroits, mais ce que j'en voyais, ses longs cheveux noirs et plats, piqués de quelques plumes d'aigle, suffisait pour comprendre les paroles de Bridger.

C'était un Indien, à coup sûr, un de ceux dont les fantômes venaient par centaines hanter la dernière survivante d'une famille de fabricants du fusil assassin. Je ne sais ce que les mauvais esprits auraient fait à Mme Winchester si elle n'avait passé sa vie à l'abri, s'ils l'auraient châtiée comme ils avaient immolé, à l'en croire, sa fille et son mari. Et puisqu'elle n'était plus là et qu'ils revenaient toujours, était-ce que, mal informés, ils espéraient encore la retrouver, elle ou quelques-uns de ses proches, à moins d'en vouloir à tout Blanc fréquentant les lieux ?

Des Peaux-Rouges, je n'en avais encore jamais aperçu, ni revenants ni vivants, sinon au théâtre, dans des films ou des livres ; d'habitude, leurs portraits étaient naïfs et monotones. Celui qui se trouvait devant moi était particulier. Etait-il venu pour chasser ? S'agissait-il de chasse ou de guerre ? S'était-il peint le visage de noir et de rouge, les couleurs du combat ? Il était trop embrumé, obscurci pour que je le sache. Comment deviner si le noir est le noir de la nuit ou celui de la guerre ?

Il semblait préoccupé par la présence de Jim Bridger. J'éprouvais l'envie de faire quelques pas pour mieux l'étudier, mais je craignais qu'il n'eût la capacité de percevoir de loin le bruit le plus léger, la moindre lumière. Je tenais à m'assurer si oui ou non il était conscient de ma présence comme je l'étais de la sienne. Si cette rencontre avait eu lieu au siècle dernier, nous nous serions dissimulés dans les hautes herbes de la plaine ou au milieu des rochers, mais nous étions dans une salle de bal, entourés d'une foule qui ne s'interrompait pas de valser. J'ai donc attendu que les voix d'un couple invisible passent devant moi pour les suivre et m'arrêter de l'autre côté de l'Indien qui me tournait le dos, examinant toujours Bridger et sa tenue de trappeur et de guide. J'attendis encore, et lorsque la musique se fit plus violente, j'en profitai et glissai de l'avant, de façon à mieux voir l'homme. Pas de peinture noire sur la face ; pour ce qui est du rouge, j'étais moins certain. Contrairement à ceux de sa race, il me parut différent, ne ressemblant qu'à lui-même ; en même temps il possédait certains traits qui me parurent familiers : il avait de lourdes paupières qui pesaient sur des yeux étroits et des pommettes saillantes. Vêtu comme les guerriers Peaux-Rouges au début de leurs luttes contre les Blancs, il continuait à observer Bridger sans en avoir l'air. Le cireur chinois se tenait accroupi entre les deux hommes, en train de faire glisser une paire de brosses sur une chaussure indistinguable. J'entendis un pas nouveau et me retournai.

C'était un marin que j'avais l'impression de n'avoir jamais rencontré. Il s'éloigna en zigzaguant à travers la salle comme à la recherche de quelque chose. J'aperçus de loin son visage qui ne m'était pas tout à fait étranger : j'avais dû le croiser un jour ou bien il ressemblait à quelqu'un de ma connaissance. Il aperçut Antoine de loin et accéléra son allure comme s'il l'avait reconnu. Avant de l'atteindre, il dit :

— Je cherche un bateau coulé. Vous n'en avez pas vu par ici ?

Maintenant, je me souvenais : c'est lui qui

avait conduit Antoine le long de la falaise dominant le Pacifique pour lui faire voir les navires
naufragés. Il était matelot, même si je n'en avais
pas été sûr, mais Antoine semblait l'ignorer, il
haussa les épaules sans rien répondre, et l'autre
reprit son errance et sa quête.

Je cherchai Isabelle. Elle s'était éloignée,
estompée, moins Cécile que Mlle Vermeer. Je
me tournai vers Antoine. Il n'était pas à la
même place. Je le retrouvai en train de parler
à Bridger d'une voix si basse qu'on ne pouvait
rien entendre. Celle de l'autre retentit, forte
comme de coutume :

— Que de belles créatures réunies ici ! O,
merveilleux nouveau monde peuplé de gens
pareils !

Je ne sais si c'était l'Amérique, mais c'était
à coup sûr *La Tempête* que Bridger devait connaître aussi bien que moi. Je biglai du côté de
l'Indien. Il ne me regardait toujours pas.

Il ressemblait à quelqu'un et plus je le dévi-
sageais, plus j'avais l'impression de l'avoir déjà
rencontré, mais je ne savais où ni dans quelles
circonstances, sauf que je croyais avoir aperçu le
reflet de ses traits dans un miroir d'une clarté
douteuse.

Une fois de plus, la musique changea de
rythme : la valse s'était faite plus lente et mélancolique. Je contemplai la salle. Elle semblait
différente. La petite compagnie qui s'offrait à la
vue mise à part, on avait l'impression que la popu-
lation insaisissable se faisait plus nombreuse,
parsemée qu'elle était de nuages minuscules dont
je me demandais s'ils venaient de la baie de San
Francisco et quel vent les avait apportés jusqu'à
San José où nous étions. Les danseurs ronron-
naient entre eux mais la musique m'empêchait
de les comprendre. Je ne savais pas si eux me

voyaient, sans doute, oui : aucun ne se heurtait à moi. Et pourtant la valse s'accéléra de nouveau, et les bulles de brume se précipitèrent en tous sens. La mélodie se fit plus violente : à les entendre, les dix doigts imperceptibles se livrèrent une chasse du bas jusqu'en haut du clavier, reprirent la poursuite en sens inverse et, subitement suspendus au-dessus des touches, en écrasèrent une demi-douzaine en un accord parfait. Le silence s'installa. On pouvait discerner les respirations des couples qui s'étaient arrêtés, et tout d'un coup, le grand souffle de la foule se souleva. Ils parlaient tous en même temps, bruyants et indistincts, et je me dis qu'en me mêlant aux esprits, bons et mauvais, je finirais par reconnaître leurs paroles et leurs voix. J'avançai dans la brume.

La foule semblait ténébreuse. De plus près, je commençais à distinguer. Au début, pas grand-chose. Par exemple, des dockers dont je ne savais rien sauf qu'ils portent un blouson noir et une casquette blanche, des voyageurs se précipitant à bord d'un ferry anonyme et dont je ne voyais que des silhouettes méconnaissables, les chemises de nuit blanches des demoiselles de la maison de tolérance, toutes jeunes et jolies, et semblables, les garçons chinois aux traits incertains, éparpillant, à l'occasion d'un enterrement, des imitations de billets de banque pour apaiser les mauvais esprits, une grappe d'inconnus au bord du Pacifique, estompés par la brume, qui observaient les navires du cimetière maritime, un peuple de putains sans signes particuliers, toutes appelées jolies servantes, les grosses mains poilues du gardien de phare, recevant la visite d'une sirène, les doigts effilés et subtils d'un adolescent, jouant le rôle d'une jeune femme au théâtre chinois, le bonnet en forme de bouquet de violettes, coiffant une femme qui s'intéressait aux diverses espèces de mouettes, le large sourire d'un chercheur qui s'était fait arracher toutes les dents pour qu'elles soient remplacées par un râtelier en or, or qu'il avait déterré lui-même et extrait de sa gangue. Ces détails m'étaient familiers ; pour ce qui était du reste, je n'en avais aucune idée, je ne savais même pas s'il existait, n'en ayant jamais eu besoin pour ma part, ou plus précisément, pour la part de mon écriture. A présent que la danse était interrompue, je m'employais à relever certains traits, qui m'avaient échappé faute d'attention ou de nécessité, des personnages que j'avais rencontrés pendant mon voyage ou dont j'avais appris l'existence à travers descriptions et lectures. Je m'attardais particulièrement sur la sirène qui fréquentait le phare comme je m'appliquais toujours à dévisager toutes celles dont parlaient Obéron et Jim Bridger, celui-ci en profitant pour jeter un regard dans la direction de la jeune fille au turban.

Elle avait disparu, c'est-à-dire elle n'était plus au même endroit, et je la cherchais dans la foule. Elle s'appliquait à demeurer introuvable, comme si elle se moquait de moi : aucun trait isolé, même pas la boucle d'oreille ni le petit sourire tout seul. Je ne croyais pas davantage qu'elle était l'unique visiteuse à avoir quitté la salle de danse, elle devait être présente, peut-être dissimulée entre deux traînées de brume, que je scrutais toutes l'une après l'autre, pour découvrir soudain que l'Indien avait pris le large, lui aussi.

Je tournai la tête vers Jim Bridger. Lui n'avait pas bougé, il se tenait aux aguets et devait savoir si l'Indien et la fille de Vermeer se cachaient ou avaient fui, ensemble ou séparément, sinon elle la première et lui à sa suite. Le visage de l'éclaireur exprimait l'attention mais rien d'autre. Je n'allais pas lui adresser une parole personnelle, et je n'en trouvais aucune chez aucun esprit de Shakespeare. Je faillis dire : « Mon heure est presque venue », mais je ne pouvais le faire : c'était le fantôme du père d'Hamlet qui avait énoncé ainsi son proche départ. Alors, je regardai Antoine. Lui, je pouvais l'interroger. Je dis :

— Où est-elle ?

Il comprit ma question et mon inquiétude, répondit :

— Elle est seule.

J'insistai :

— Mais où est-elle ?

Il indiqua Bridger d'un mouvement de la tête :

— Il est toujours là.

Je m'impatientais :

— Mais elle ?

Il fit un petit geste de la main comme pour me calmer avant de me dire :

— Elle reviendra quand il sera parti.

Il avait dû apercevoir et comprendre quelque chose qui m'avait échappé. Je parcourus la salle d'un nouveau regard. La brume s'épaississait. Le cireur de chaussures chinois s'entretenait avec quelques jolies servantes. Le brave Jim Hawkins, mousse à bord de l'*Hispaniola*, ami de Stevenson, chuchotait à l'oreille du connaisseur des navires coulés, la sirène du phare demeurait introuvable comme Isabelle. Derrière moi, je sentis une respiration : quelqu'un cherchait à attirer mon attention. Je me retournai.

C'était l'Indien. Je tressaillis et allais reculer pour pouvoir me défendre, mais, ses yeux dans les miens, il me considérait pour la première fois depuis que je l'avais vu surgir dans la salle, et il me sourit d'un long sourire. Je le lui rendis et comme il ne dit rien, je parlai le premier. Son visage exprima une certaine surprise. Il dit quelques mots à voix basse. Je ne compris rien : il ne parlait pas anglais, et sa langue ne ressemblait à aucune que je connaissais. Je pensai : il parle indien, en me souvenant aussitôt qu'il n'y avait pas de langue indienne et qu'il en existait autant que de tribus, dont je ne possédais aucune. Je lui adressai un sourire d'excuse, haussant les épaules et levant les bras : je ne sais si mes gestes étaient pareils à ceux dont on se servait chez lui, mais il eut l'air de comprendre et il m'adressa de nouveau la parole, une parole inintelligible. Alors, en désespoir de cause, je criai l'unique mot indien que je connaissais et qui était susceptible de lui être familier :

— Cherokee !

Son visage s'illumina. Il allait me répondre, sa bouche s'entrouvrit. A cet instant même, la cloche sonna deux fois, couvrant la voix de mon interlocuteur, mais je crus lire sur ses lèvres le mot que j'avais prononcé, et je devinai : cet homme, le seul qui, comme Bridger, s'exposait entièrement à ma vue, qui sans doute était venu pour m'approcher, me connaître, devait être lui-même un Cherokee, peut-être victime d'une balle de winchester, qui, dans son monde funéraire, avait prêté l'oreille aux papotages à propos d'un terrestre vivant qui ignorait son origine, son totem personnel, son clan, un des sept qui existent, et jusqu'à l'appellation de sa tribu, bref, moi. On se morfond dans la profondeur des tombes pendant les longues heures d'attente du son de la cloche de minuit et du bref retour dans la vie antérieure, et on se distrait en caquetant de fosse en fosse au sujet des rescapés provisoires.

C'était plausible : ce personnage, je l'avais bien inventé, et qui l'aurait fait sinon moi-même qui voulais m'assurer que j'étais cherokee comme me l'avait affirmé, à Paris, boulevard Raspail au coin de la rue de Rennes, la femme aux pommettes saillantes, l'Indienne qui, elle, existait, et dont le souvenir m'avait aidé à construire, au milieu d'une foule de fantômes, un Cherokee imaginaire.

Comment pouvais-je prévoir que bien des années par la suite, à San Rafael, près de San Francisco, chez un vieil ami, Alvah Bessie, un ancien des Brigades Internationales en Espagne, j'allais rencontrer Frank Dyer, un grand garçon de trente-cinq ans, venu du Texas. Sa grand-mère était cherokee, son père donc à moitié cherokee, et lorsque sa mère qui était une Blanche voulut épouser un Indien, sa famille se montra aussi humiliée qu'indignée : les Peaux-Rouges n'étaient bons que tués.

J'ai donc raconté l'histoire de la Cherokee qui m'avait certifié à Paris que j'appartenais à la même tribu.

— Oui, bien sûr, dit Frank Dyer, sans me quitter des yeux.

Je demandais :

— Pourquoi ?

Il toucha d'un doigt ses paupières.

— Elles sont basses chez vous. Et les pommettes sont hautes et saillantes. Et là.

Il indiqua les deux plis verticaux qui descendaient du nez au menton en contournant les angles de la bouche.

Je dis :

— Et des yeux noirs et des cheveux noirs et plats.

— Oui, dit Frank, les Indiens sont des Asiatiques.

Et, il y a quelques mois à peine, alors qu'Ida et moi, nous traversions les Etats-Unis en suivant un nouvel itinéraire, nous avons fait un détour pour pénétrer, en Caroline du Nord, dans la montagne, au cœur de l'ancien pays cherokee, pour nous rendre compte si les habitants se retournaient en me voyant passer.

A l'entrée du village, quatre enfants s'entretenaient, dont deux en bicyclette, un pied sur la pédale, les deux autres debout. Les cyclistes devaient avoir douze ans, leurs compagnons une dizaine d'années. Des cheveux noirs et plats, des yeux noirs, des pommettes saillantes. Un échange de questions et réponses, puis Ida, mi-question mi-réponse :

— Vous êtes cherokees ?

Ils ont crié tous les quatre à la fois :

— Oui, oui.

Elle m'a indiqué d'un mouvement de tête :

— Il en est un lui-même.

J'ai gardé le silence et attendu. Ils m'ont considéré.

— C'est bien ce que je pensais, a dit l'aîné.

Et le plus jeune qui devait le croire, lui aussi, mais tenait à s'imposer :

— Vous savez qui est Séquoia ?

J'ai hoché la tête.

— Vous savez ce qu'il a fait ?

— L'alphabet cherokee.

Nous avons parlé longuement. Et le soir, nous les avons croisés. En nous apercevant à distance, ils se sont arrêtés tous les quatre et nous ont salués, Ida et moi, le vieux Cherokee et sa femme.

Je ne pouvais pas percer l'avenir et pressentir ces rencontres, du temps où j'imaginais, au milieu d'une foule de fantômes, un Indien plausible, à l'aide d'une ressemblance avec moi-même. L'appel de la cloche, sa mise en garde m'avaient fait tourner la tête. La salle vaguait et voguait. Les silhouettes s'entremêlaient, les unes entières, les autres disloquées : une cotte de mailles bras-dessus bras-dessous avec une jupe descendant aux chevilles, une casquette de docker penchée tout près du ventail d'un heaume, nymphes, farfadets, lutins, sylphes, gnomes, génies mauvais, bons, familiers, tous revenants, tous preneurs de poudre d'escampette, tous descendants de Shakespeare, autant que Macbeth et Falstaff, et tant encore que moi-même j'avais rencontrés, fréquentés au petit bonheur la chance et qui tous, les uns comme les autres, étaient en train de disparaître dans un brouillamini que le brouillard estompait.

Octobre 1938 avait commencé. L'armée allemande avançait en Tchécoslovaquie, suivie de Hitler en personne. Les averses s'abattaient sur Paris et sur Londres, le ciel de Berlin était noir de nuages, toutes les synagogues du monde débordaient de Juifs — c'était le Kippour, Jour des Expiations — et les foules entonnaient des prières antiques :

Dieu de miséricorde, aie pitié de nous !

Ce paysage se faisait plus précis. Son sens m'échappait pour l'instant. Je ne pouvais pas encore vivre l'aube de l'abandon de Paris quand, soldats et civils, nous roulerions pare-chocs contre pare-chocs, et lorsque nous aurions avancé de trois mètres il n'y aurait qu'à couper le contact pour épargner l'essence et attendre. Installé derrière moi, le colonel se taisait pour lancer soudain une remarque méprisante au sujet de Paris qui fuyait autour de nous. Une main sur le volant, l'autre sur l'avertisseur, je me frayais un passage. Installé près de moi, Shakespeare me tenait compagnie. Le soir même, dans la forêt de Fontainebleau, où passait le front, un front provisoire et imaginaire, j'ouvrais le recueil de ses œuvres complètes dont j'avais hérité, la nuit précédente, ma dernière nuit parisienne, dans la bibliothèque de mes parents. A juste titre, il commençait par *La Tempête* que j'allais lire et relire. Une semaine plus tard, dans un village des gorges du Lot, je terminais la lecture du volume. La radio annonçait la défaite qu'elle baptisait armistice. Shakespeare avait tout prévu et expliqué presque tout.

J'explorais la brume qui s'épaississait autour de moi. L'Indien avait disparu sans laisser aucune trace, pas même une plume d'aigle. Son chemin de retour devait être plus long que celui de Jim Bridger, sans doute protégé par les formules, s'appliquant à ses compagnons d'aventures shakespeariennes.

J'étudiai son visage et je dis :

— La guerre.

Il sourit de travers avant de répondre :

— Que j'aille à la guerre, c'est ça.

Et, haussant les épaules :

— Là où l'homme peut servir sept ans moyennant la perte d'une jambe et ne gagne pas assez d'argent pour s'en acheter une de bois.

Je ris et il rit à son tour, me rendit mon regard et même éprouva le besoin, voyant mon agitation et mon trouble, de m'expliquer le spectacle désordonné qui s'offrait à mes yeux.

— Maintenant nos divertissements sont terminés, dit-il.

J'aurais pu réciter la suite que je savais par cœur, mais j'ai cherché Mlle Vermeer. Antoine m'avait dit qu'elle reviendrait quand Bridger serait parti. Elle était toujours absente. A sa place, j'aperçus une jeune femme dont je n'étais pas certain si c'était la serveuse bleue et blanche que j'avais rencontrée une nuit dans une bourgade du Nebraska, et qui me faisait défaut, ou Mandy, une double que je lui avais inventée et écrite : ces deux-là étaient un reflet ondoyant de Cécile et d'Isabelle que le reflux emportait, et je me demande laquelle me manque plus que l'autre.

— Nos acteurs que voici, ainsi que je vous l'avais prédit, dit Bridger, et il se tourna légèrement dans ma direction comme si c'était à moi qu'il adressait la parole, étaient tous des esprits et ont fondu dans l'air, dans l'air léger.

Il glissa des yeux autour de la salle où la brume montait, faisant s'estomper les revenants de plus en plus vaporeux, et il dit comme s'il décrivait le paysage devant lui :

— Tel l'édifice sans fondement de cette vision, les tours couronnées de nuages, les palais somptueux, les temples solennels, le grand globe lui-même, oui, tous ceux qui en ont joui se dissiperont, comme ce cortège imaginaire s'est évanoui, sans laisser derrière eux le moindre nuage...

Maintenant il contemplait la fenêtre où l'on pouvait lire : « Ces mêmes pensées peuplent ce petit monde », et je profitai de cet instant pour dire à sa place :

— Nous sommes faits de la même étoffe que les rêves, et notre petite vie est cernée de sommeil.

Jim Bridger ne dit rien. Je regardai dans sa direction. Il s'était dissipé comme les autres. On ne voyait que le tain du miroir, posé à l'envers, contre la cheminée. Cherokee, voyageur, chauffeur militaire, j'étais seul dans la salle. La jeune fille au turban, que j'avais de plus en plus de mal à appeler Isabelle, n'était nulle part. Elle avait dû retourner à La Haye, reprendre sa place, les yeux posés, depuis trois siècles, la nuit sur le clair de lune, le glissement des nuages et la solitude, le jour sur l'écoulement des générations d'amoureux, dans l'espoir sinon la certitude qu'il y en avait un qu'elle aimait, elle aussi. Elle disparue, Antoine n'avait plus rien à faire à San Francisco, ni ailleurs. Tous deux existaient seulement dans un livre qui n'existait pas encore. Je n'avais qu'à m'asseoir à ma table et m'efforcer de les écrire.

BĂBEL

Extrait du catalogue

COÉDITION ACTES SUD – LEMÉAC

Ouvrage réalisé
par l'Atelier graphique Actes Sud.
Achevé d'imprimer
en octobre 2006
par Bussière
à Saint-Amand-Montrond (Cher)
sur papier fabriqué à partir de bois provenant
de forêts gérées durablement (www.fsc.org)
pour le compte
d'ACTES SUD
Le Méjan
Place Nina-Berberova
13200 Arles.

Dépôt légal
1re édition : novembre 2006
N° impr. 063603/1
(Imprimé en France)